6 三國～西晉
西元220～419年
[注音本]

全新 吳姐姐講歷史故事

吳涵碧◎著

目錄

【第131篇】華歆從小受不住誘惑。

自從赤壁之戰曹操大敗，這一戰打破了曹操的統一計畫，決定了魏（曹操）、蜀（劉備）、吳（孫權）鼎足三分的形勢，中國陷入長期的分裂。

現在我們再掉轉頭看看被曹操挾持的漢獻帝。可憐的漢獻帝雖然名爲天子，其實過得比囚犯還不如，宮廷內外全是曹操的鷹犬。有一回，漢獻帝不過和議郎趙彥多說了幾句話，沒多久，趙彥就不明不白丟了性命。

漢獻帝知道劉備是個忠義之士，偷偷的寫了一封祕密的詔書，夾藏在衣帶之中，託人帶出宮廷交給老臣董承，叫董承轉交給劉備，請他除掉曹操。

劉備沒有力量擊敗曹操，這件事卻不幸被曹操知道了，氣得殺掉了董承，董承的女兒嫁給了獻帝當貴人，董貴人當時懷了孕大腹便便，雖經獻帝苦苦哀求，依舊免不了一死。

獻帝的皇后伏皇后看了膽戰心驚，卻也沒有辦法。伏皇后曾經把曹操殺人的殘暴經過，詳詳細細寫了一封信給她的父親伏完，請伏完『找個機會去掉曹操以解救女兒及女婿的苦難。』

伏完是個小心謹慎的人，一直到他死，絲毫不動聲色。卻不知怎麼搞的，在伏完去世之後五年（獻帝建安十九年），事情卻洩漏了出來。

曹操大發雷霆，帶著副使華歆就往宮裡闖。伏皇后嚇得匆匆躲入牆壁的夾室中，華歆找不著人，大喝：『把牆壁給我拆了！』

兵士們把牆推倒以後，華歆大步的走進去，扯著伏皇后的頭髮拖出來。伏皇后連鞋也沒穿，哭哭啼啼的被揪出來，腫著比桃子還紅的眼睛問獻帝：『不能救我一命嗎？』

獻帝和伏皇后是患難夫妻，感情特別深厚，身爲皇帝，卻保不了妻子，他哽咽的說：『我自己的命也不知在哪裡。』又回頭對著身旁的人道：『想不到天下竟有這種事。』

可憐的伏皇后就這樣一命歸天，然後，曹操硬把他的二女兒——曹節，嫁給獻帝當皇后，以便牢牢控制。

這個捕殺皇后的華歆，是個有名氣的讀書人，被曹操延攬之後，因爲臭味相投，很快就成爲曹操的心腹。

華歆素有文名，他小時候與邴原、管寧是好朋友，都以才氣縱橫出名，當時人稱他們三人爲一條龍：華歆爲龍頭，邴原爲龍腹，管寧爲龍尾。

相傳有一天，管寧與華歆兩個人在園子裡種菜。忽然之間，土裡冒出黃澄澄的亮光，再鋤下去，竟然是一大塊黃金。

管寧照舊揮舞著鋤頭，似乎根本沒有看見這地底掘出來的財富。

華歆忍不住把黃金拾起來，拍去上面的塵土，看了又看，摸了又摸，一副愛不釋手的模樣。但又礙著管寧虎視眈眈在旁邊看著，不好意思讓人家見到『見錢眼開』的醜態，只好快快的又把黃金放下。

又有一回，管寧和華歆一同在看書，忽然窗外傳來敲鑼打鼓的聲音，原來是有貴人經過，許多人都擠到外頭去看熱鬧。

管寧全心全意放在書本上，眼皮也沒抬。

華歆開始的時候還假裝不理，勉強的在用功，又過了一會兒，外頭的聲音愈來愈大，他再也受不了誘惑，把書一扔，飛也似的跑了出去，好好的看了個夠，等到貴人走了，華歆回來看書，還滿腦子都是車馬諠譁，羨慕得要命。

華歆這一切，管寧看在眼裡，相當不以爲然，最後管寧拿出刀子把席子分爲兩半，義正辭嚴的說：『對不起，你不是我的朋友。』兩人正式絕交了。

以後，管寧一直有為有守，是個受人敬重的讀書人。華歆呢，先投靠袁術，又做了曹操的走狗，得到他追求的榮華富貴，卻也為天下人所不齒。

中國人有一句話『三歲看到大』，意思是說小時候是什麼樣子，長大了也差不多。管寧、華歆就是最好的例子。

閱讀心得

【第132篇】刮目相看吳下阿蒙。

中國許多成語的背後都有一段歷史故事，如果我們知道這個典故與出處，不但對成語本身有了更進一步的認識，運用起來更得心應手了。以下要講的呂蒙就是流傳下來一個相當有名的成語。

呂蒙字子明，汝南人，自小依靠姐夫鄧當，鄧當是孫權的哥哥——孫策手下的一名大將，經常討伐山越賊寇。

在呂蒙十五歲的時候，有一回，他趁著別人沒有注意，偷偷混進軍隊中去打盜賊，鄧當發現了呂蒙，著急得大叫：『哎呀，你怎麼跟來了，趕快回家去，這兒危險。』

呂蒙不答應，鄧當拿他沒辦法，只好依他。回去後，鄧當立刻向呂蒙的母親告了一狀。母親本來要責罰他，但呂蒙理直氣壯的說：『不入虎穴，焉得虎子。』母親也就算了。

倒是鄧當身旁的一個職員諷刺道：『小孩子能做什麼？去了還不是餵老虎。』過幾天，呂蒙碰到這位職員，職員又以同樣的話諷刺呂蒙，呂蒙氣得拔出刀就殺掉了職員，然後向孫策自首。

孫策卻很欣賞這個鹵莽的小子，留呂蒙在身邊。呂蒙憑著一身好武功，立下了許多輝煌的戰績，最後做到了偏將軍，領潯陽令。

這時孫策已死，吳國由孫權領導。孫權有一天對呂蒙說：『你現在身當重任，不可以沒有學問。』

呂蒙尷尬的搓著手：『嘿嘿，在軍隊裡兵務繁忙，哪兒有時間看書呢？』說著低下頭。

孫權正色的說：『我不是要你研究經史當飽學之士，但你總要多讀點書才會有進步。孔子曾經說過，一個人整天不吃飯，不睡覺，光在那兒空想，是想不出什麼道理來的，不如多看點書增進智慧；漢光武帝在兵荒馬亂時，不也仍舊手不釋卷嗎？』

呂蒙聽了孫權的一番話，面紅耳赤。從此以後，抓住一點兒時間就埋頭讀書，果然大有心得。

周瑜死後，魯肅代替了周瑜的位置；本來他和吳國大多數的人一樣瞧不起呂蒙，認爲呂蒙除了會打仗以外，是個胸無點墨的大草包。然而一日魯肅經過潯陽和呂蒙談起國事，發現呂蒙說得頭頭是道，見解不凡。

魯肅拍著呂蒙的肩道：『老弟啊！我本來以爲你只會武功，沒想到現在學識淵博，不是吳下阿蒙。』

呂蒙高興得哈哈大笑：『士別三日，刮目相看，你怎麼現在才看出來？』這句話相沿至今，形容不可以舊時的眼光觀察別人。

多讀了一些書後，呂蒙考慮問題日漸審慎周密，不再只憑意氣用事了。他探勘長江下游的地理位置，發現要抗拒曹操，應該在兩岸建塢，用來掩護陸上的兵馬、水中的舟艦。許多將士都反對：『咱們上岸去擊賊，洗洗腳又回到船上，幹什麼建塢？』

『不然，不然。』呂蒙解釋道：『兵家勝敗無常，如此，進可攻，退可守。』孫權採納了呂蒙的建議，果然築成了一道堅固的國防線，使曹操軍隊無法南攻。

以後，呂蒙屢建奇功，成爲吳國旗下一名智勇雙全的大將軍。

在建安二十四年，孫權以呂蒙爲大都督攻打江陵，呂蒙派精兵打扮成商人模樣，三三五五化整爲零，乘坐小舟浮江而上，一舉攻克了江陵，且下令不准騷擾民宅，生病的百姓免費醫藥治療，飢寒的百姓供以衣物，因此江陵的父老都很感激呂蒙的仁德。

有一個士兵拿了民家一頂斗笠，按照規定，應該殺頭。

許多人前來爲這個士兵求情，希望看在偷斗笠的士兵是小同鄉的份上特別『寬容』，呂蒙流著眼淚道：『小同鄉也不能有特權，我不能顧念鄉情，破壞軍法。』依舊將士兵斬首示眾，從此呂蒙的軍隊成爲最有紀律的一支隊伍。

呂蒙當年不學無術，沒法子呈報寫上君王的奏章，只能用嘴巴講，經常被蔡遺笑話，後來豫章太守出缺，呂蒙竟然推薦蔡遺，孫權笑道：『不簡單，不簡單，你莫非想效法古人祁奚不念舊仇？』可見呂蒙的涵養有多深了。比起當初糊裡糊塗殺掉職員，有天壤之別。

有人常埋怨大家看不起他，憤恨不平。其實一個人只要多讀書，求進步，像呂蒙一樣，假以時日，別人一定會翹起大拇指道：『士別三日，刮目相看，老兄已非昔日吳下阿蒙！』

閱讀心得

【第133篇】

曹丕、曹植兄弟爭寵。

在中國古代，皇帝的權力是無限的。因此，爲了爭奪人人羨慕的皇位，歷朝歷代發生過了不少悲劇。

曹丕、曹植是曹操的兒子。曹操的長子曹昂很早就死於戰亂，按理應該由次子曹丕繼承王位。然而，曹操較爲偏愛四子曹植，所以遲遲沒有立太子。

曹植在十歲的時候已誦讀了數十萬言的詩、論及辭賦，有一天，曹操看到了曹植手裡拿著一篇文章，曹操接過來一看，不斷點頭，他問：『這是你請誰寫的？』曹植跪答道：『孩兒筆下成章，哪兒用得著請人代勞？』曹操半信半疑。

剛好此時銅雀臺落成（銅雀臺是曹操爲了炫耀權勢新蓋的宮殿，富麗宏偉，直入雲霄，有一百多個房間，在樓頂，鑄著一隻振翅欲飛的大銅雀，稱爲銅雀臺），曹操帶領著兒子在銅雀臺遊玩觀賞，然後他就要大家以此爲題寫篇賦。曹植一揮立成，曹操看了連連稱好。

曹植是個文學天才，反應靈敏，口齒伶俐，曹操每次與曹植談論起來，曹植總是對答如流，所以曹操特別疼曹植，有意立曹植爲太子。

消息傳出以後，曹丕非常不安，他著急的去請教中大夫賈詡：『怎麼

煮豆燃豆萁
豆在釜中泣
本是同根生
相煎何太急

辦？怎麼辦？』賈詡告訴曹丕：『目前也沒有什麼辦法，你只有安安分分，做一個爲人子所該做的就是了。』

有一次，曹操出征，曹丕、曹植都來送行。曹植稱頌曹操的功德，句句動聽，曹操樂得心花怒放，旁邊的人都拍手叫好。曹丕雖然文學修養也很深厚，但一時之間不知該說些什麼，愁眉苦臉楞在那發呆。

此時，朝歌令吳質附在曹丕的耳朵旁悄悄道：『父王要走了，你就哭吧。』曹丕正是滿肚子的酸水，眼淚立刻撲簌簌的流下，哭得傷心極了。告別的時候，曹操和兩旁看熱鬧的人都非常感動，認爲曹植只是言辭華麗，遠不及曹丕誠懇孝順。曹丕又買通了宮裡內外的臣子幫他說話，於是，在建安二十二年，曹操正式立曹丕爲太子。

曹植本來就是個風流才子型的人物，不注意小節，如今既然當不成太子，更加隨隨便便。他曾冒犯禁令從司馬門乘車出遊。根據規定，司馬門只有當天子的車子經過才可以打開，曹操為此氣得發火。

再說曹操正在倡導節約，不准貴族婦女穿繡花的衣服，有一次，他站在銅雀臺上眺望，赫然發現有一位女子穿戴得珠光寶氣，大模大樣的招搖過市，惹來許多人的指指點點，曹操很不開心，一查之下，這位愛出風頭的女子不是別人，竟然是曹植的妻子，立刻下令將她處死。從此，曹操對曹植的印象更加惡劣了。

曹植失寵後，心裡很害怕，他悄悄去找楊修商量。

楊修是三國時代有名的聰明人物，博學多才，最能猜到曹操的心事。

在曹操攻打劉備的戰役中，曹操進退兩難，某天晚上在吃飯時，有個士兵進來請示晚上站哨的口令，曹操看了看盤中剩下的雞肋，隨口說出：『雞肋，雞肋。』

第二天，楊修開始收拾行李，他說：『我們要撤退了。』果然不久曹操傳令班師。旁人問楊修怎麼一猜便中。楊修回答：『雞肋，食之無味，丟之可惜，主公用雞肋做口令，我就知道要撤退了。』

就憑著善解人意的本事，楊修一步步教導曹植，該如何如何討曹操的歡喜，又爲曹植準備了許多『模擬猜題』，如果怎麼問，便該怎麼回答。『模擬考』考多了，曹植果然一答就中。因爲答得太好了，每次曹植上的報告正好合乎曹操的心意，多疑的曹操覺得其中大有問題，派人調查，發現是楊修在搞鬼。

糟糕的是楊修這人聰明外露，藏不住話，常能一語道破曹操的隱私，曹操很討厭比自己更聰明的人。利用這個機會便把楊修殺了。

楊修死後，曹植更加鬱悶消沉，經常以酒消愁。

不久，曹操去世，曹丕正式篡漢當上了皇帝，是爲魏文帝。他對曹植始終心裡存有疙瘩。一天，曹植上朝。曹丕故意半開玩笑，酸味十足的說：『大家都誇你文思敏捷，現在我命你走七步後成詩一首，若是做不出來，當心我處罰你喔！』

七步後，曹植抬起頭道：『煮豆燃豆萁，豆在釜中泣，本是同根生，相煎何太急？』意思是說用豆枝桿燒火煮豆子，豆子在鍋裡哀號，我們是同樣的根長出來的，你何苦逼我逼得這麼急迫？曹丕聽了很慚愧，不好意思下手害曹植了。

這首七步詩自此流傳千古，後人勸戒不顧手足之情，互爭利害的同胞兄弟，常常引用曹丕、曹植的這段故事。

閱讀心得

【第134篇】曹植、甄后、洛神賦。

自從曹植在曹丕的逼迫下完成了七步詩『煮豆燃豆萁，豆在釜中泣，本是同根生，相煎何太急？』提醒曹丕顧念手足之情，不要苦苦相逼以後，曹丕有些兒慚愧，沒有再下毒手。

曹植雖然保住了一條命，心裡卻異常苦悶，他從小所受的教育就是指導他將來如何成爲一個好君主，爲國家爲人民謀福利；然而曹植雖然有心做事，曹丕卻不肯給曹植任何施展才能的機會。曹植在黃初三年被封爲甄城王，四年改爲雍丘王，太和元年，封爲浚儀王……六年爲陳王，短短的十一年之間竟改封了六次。曹丕的用意非常明顯，他存心要曹植永遠像浮萍一般，東飄西盪，居無定所。

其實，曹植雖被封爲王，卻很少行動自由。原來，曹丕即位以後，雖然分封兄弟子姪爲王，但是，卻嚴格規定，未經皇帝批准，不得隨意外出封地之外，所以，連遊山玩水都受到限制。

當然，諸王不能過問政治事務，隨身衛隊兩、三百人都由皇帝派遣去，衛隊隊長經常要向皇帝報告諸王的動態，所以，這些衛隊名爲保衛諸王，事實上是皇帝派來監視諸王的人。因此，魏朝的宗室形同高級囚犯，並沒

有政治勢力。

曹植更加憂鬱了。有一天，他走出了洛陽城，來到了洛水旁邊，只見夕陽西下，煙波蕩漾，兩岸景物如畫，在迷茫的黃昏暮色中，文思大發，回去以後立刻寫下了洛神賦，在這篇文章中，曹植藉著宓妃（相傳是古代美麗的水神，爲河伯的妻子），說明天上、人間的相隔，寫出了他高遠的意境及熱烈的感情。

或許這篇賦寫得太感動人了，後人由此編出了一個美麗又悽慘的愛情故事。

這個故事的女主角甄后，她是三國時代出色的絕代佳人。

甄氏本爲袁紹的兒子袁熙的妻子，她的美麗脫俗遠近馳名，因此，當曹操一攻進鄴城便急著找甄氏，不巧被兒子曹丕搶先了一步。

曹丕攻進了袁府，看見一婦人披頭散髮的躲在袁紹夫人的背後哭泣，

曹丕問：『這是什麼人？抬起頭來答話。』

等甄氏一仰臉，曹丕立刻爲她流波四射的美麗眸子所迷住了，納爲夫人。

據說遠在甄氏下嫁袁熙之前，她和曹植有過一段情，雖然甄氏的年齡比曹植大了十多歲，但眞正的愛情又怎在乎年齡的限制，他們兩人恩恩愛愛，比蜜還要甜。

後來，甄氏先嫁給了袁熙，又爲曹丕所奪，曹植傷心得害了相思病，終日長吁短嘆。

黃初四年，曹植入朝，此時甄后因年老色衰已爲曹丕害死。曹丕在宴會過後，取出一個甄后用過的縷金帶玉枕送給曹植，曹植抱著枕頭，恍恍惚惚來到洛水之旁，忽然聽到清麗悠遠的樂聲自遠而近，在四面八方飄忽著。音樂停了。此時水中霞光萬道，水中站著的正是甄后，她像凌波仙子般衣裙飄飄，冉冉而起，看起來比以前更漂亮，更動人，她悠悠的說：『我本來已把一片心都託付給你，無奈天不從人願，這個枕頭是我未出嫁前用的，送給你吧。』

說完話，甄氏便如一縷煙般的消失了。曹植醒來，緊緊的抱著枕頭，既高興能得到一解相思情的信物，又悲哀從此再也見不到甄氏，不知不覺中枕頭已被淚水染溼了一大片，他感慨萬千，提起筆來寫下了感甄賦，後爲魏明帝改爲洛神賦。

從此，洛神賦成爲家喻戶曉的民間故事，曹植與甄氏也讓後人一灑同情之淚。不過，歷史上並沒有記載這個故事，有許多學者考證此爲無稽之談。

有沒有這段愛情故事並不重要，重要的是這篇偉大的文章——洛神賦，表現出曹植高超的文學修養，以及詩人特有的、多情的、浪漫的性格。可惜的是曹植死得太早，去世時才四十一歲。

曹植字子建，因爲封於陳，後世稱爲陳思王，所以曹植、曹子建、陳思王指的都是同一個人。東晉的大詩人謝靈運讚美曹植，天下一共才有一石，子建獨得八斗，因此我們現在用『才高八斗』形容一個人才華蓋世。

甄后爲曹丕生下一個兒子曹叡，爲日後的魏明帝。有一次曹叡隨同父親曹丕去野外打獵，發現了母子二鹿，曹丕的箭法準，一箭就射中了母鹿，轉過頭去說：『兒啊，快射那頭小鹿。』曹叡啜泣的說：『陛下已經殺其母，我不忍再殺其子。』曹丕聽了，放下弓箭，他明白曹叡的話中有話，責備他不該殺掉甄后，不禁面紅耳赤說不出話來。

閱讀心得

【第135篇】劉曄善於兩面討好。

劉曄是三國時代的人，他的學問不錯，口才很好。因此，被曹操看中，請他到朝廷中定謀略。

和劉曄一塊兒被徵召的有蔣濟等五個人，人人都很興奮。一路上吱吱喳喳談論個不休。從國家的用人方式，論到行軍進退的調度，談得口沫橫飛，在車上談，晚上在旅館裡也談個通宵。只有劉曄，不管別人吵翻了，他總是在睡覺。

『怎麼從來沒見你開腔？』同行的蔣濟終於忍不住問道，其他四人也投來疑惑的眼光。

『待會兒見了曹操，萬一精神不濟應付不過來，所以我要先睡飽了覺，養足體力。』

等到見了曹操，曹操問起揚州的賢人、敵人的形勢，四個人爭先恐後的發言，曹操笑著說：『別急，別急，一個一個慢慢兒來。』第二次見了曹操，四個人依舊搶著說話，只有劉曄，從頭到尾沒有開口。

蔣濟等偷偷暗笑：『我說他不是什麼養精蓄銳，根本是肚子裡沒有貨色，不然爲什麼見了曹操也不開口，哈！』

只有聰明的曹操看出來，劉曄不是開不了口，而是不願當著衆人面表

示自己的意見。於是私下裡找劉曄詳談，一談之下大爲歡喜。不久，派了蔣濟等四人爲縣令，特別把劉曄當心腹留在身邊，每遇到疑難，立刻去問劉曄，甚且一夜之中去找劉曄數十回，劉曄摸準了曹操的心意，次次都能讓曹操笑逐顏開。

以後，曹操、曹丕相繼去世，魏明帝曹叡即位，劉曄在朝廷裡始終很紅。

魏明帝太和六年，諸葛亮屢次進攻，魏國損失不小，大將張郃也戰敗而死，明帝相當懊惱，想要大舉進攻蜀國，以洩心頭之恨。

朝廷内外大臣知道諸葛亮的厲害，都說：『不可以，不可以。』

劉曄卻說：『行，行，行，怎麼不行，而且我們一定把諸葛亮打得落花流水。』劉曄的口才很好，講話活龍活現，就像諸葛亮已被綁在眼前。

劉曄的一番說辭，點燃了明帝的野心，恨不得立刻開拔，大大的幹他一場。

中領將軍楊暨向來反對開戰，聽說明帝準備不顧一切拚上去，氣急敗壞趕了來，喉嚨都講乾了，明帝還是堅持要打，楊暨仍舊苦苦勸說著不肯離去。

『哎，你是書生，不懂兵事。』明帝臉一沉。

『對，我是不懂，但是，劉曄是先帝的謀臣，他也堅持不可打蜀國。』

原來，楊暨和劉曄的私交很好，常常談起伐蜀的事，劉曄總是反對。

『那就奇怪了。』明帝把眉毛一挑，笑著說：『勸我去打蜀國的也是劉曄啊。』

於是，明帝找了劉曄來對質。在朝廷上，明帝再三問道：『你是贊成攻打蜀國的，對不對？』

楊暨也頻頻催促：『快把不可攻打蜀國的道理稟報皇上！』

奇怪的是，不管明帝責問也好，楊暨追問也罷，劉曄一直緊閉著嘴，臉上沒有一絲表情，讓人莫測高深。

因爲逼不出半句話，明帝只好讓劉曄告退。緊接著，劉曄溜到明帝跟前，擠眉弄眼道：『這個軍國大計，是何等的大事，我身受皇上恩寵，從不敢對外洩漏隻字片語，皇上方才怎好再三追問？如果還未動兵，倒讓那足智多謀的諸葛亮知道了，豈不糟糕？』

『對啊！怎麼我沒有想到。』明帝寬慰的拍著劉曄道：『幸虧你剛才守口如瓶。』

劉曄出了皇宮，見到楊暨，還不等他開口，就半帶責備的說：『你懂得釣魚的道理嗎？釣一尾小魚，一下子就上鉤了，釣大魚，就要放長線，耐著性子等牠上鉤，皇上是天子，比大魚還大，你只能盡自己的心力去勸他，他不聽，你就要識趣，免得皇上不高興。』

楊暨說：『對啊，我怎麼沒想到啊，謝謝你剛才救了我。』

日子久了，劉曄兩面討好的事被人發現，偷偷跑去見明帝說：『劉曄的爲人善於投機，不是眞心的忠心，皇上不妨用相反的計畫去試試他。』

果然，明帝發現，不論意見正反，只要明帝約略透露一點，劉曄便順著心意去迎合，他永遠沒有自己的主張、自己的看法，更不會爲了國家的利益力爭到底。從此，明帝漸漸疏遠劉曄。

明帝的態度一天天冷淡，劉曄的心裡一天天不安，最後，竟然發了神經病，憂鬱而死。

閱讀心得

【第136篇】泥土夾心門。

上回講了一個最會拍馬屁逢迎，嘴巴最甜的劉曄的故事，今天再說一個最不懂得拍馬屁的人——張昭的故事。

張昭是三國時代吳國的老臣，曾為孫策所重。孫策去世以後，孫權即位，張昭以年老多病退休，然而遇到軍國大事，仍然被請上朝廷。

孫權身材魁偉，力大無窮，喜歡打獵，騎馬追射老虎，老虎經常猛撲而來，攀持馬鞍，張牙舞爪，似乎一口要把孫權吞下。孫權認爲這個遊戲緊張、刺激、冒險又過癮，樂此而不疲。

有一天，張昭看到孫權與老虎纏鬥的驚險鏡頭，嚇得拍著胸，喘著氣道：『一個爲人君者，要能夠駕馭羣雄，驅使賢臣，才算是有本事。像你這樣在原野上與老虎馳逐算什麼，萬一出了什麼意外，反而為天下人所恥笑。』

孫權尷尬的笑著道：『我年紀輕不懂事，深深感到羞愧。』

話雖如此說，這個遊戲太好玩了，孫權可捨不得放棄。他設計了一部『射虎車』，車上開了一個四四方方的洞，中間不加蓋子，他一個人駕著射虎車到處跑。時而有離羣的野獸突擊這部車，孫權就赤手空拳相搏鬥。

張昭再三勸阻：『太危險了。』

孫權笑笑不答，但孫權心裡對張昭仍然是敬畏三分。

一次，孫權在武昌，登釣臺，喝酒喝得酩酊大醉，歪歪倒倒笑呵呵的說：『大家今天要喝個痛快，只有醉倒釣臺中，才可以停止！』

說著，孫權派人用水潑羣臣，胡鬧成一團。張昭看了，一句話不說，鐵青著臉走出去，冷冷的坐在車中生悶氣。

孫權派人把張昭找回問道：『大家樂樂無妨，幹什麼發這麼大的脾氣？』

『以前紂王製酒池肉林，長夜痛飲，當時也覺得沒什麼不對啊？』張昭毫不留情的指責著。孫權答不上話，面紅耳赤，停止了酒會。張昭每次上朝，辭氣壯厲，臉上透著一股正義之氣，使人不敢侵犯。

有段時間，因爲頂撞孫權，宦官不許他上朝。

蜀國的使臣來吳國，稱揚蜀國，大吹大擂了半天，吳國的臣子只有乖乖聽訓。孫權嘆氣道：『假使張公坐在堂上，蜀使只有垂頭喪氣，哪還有他自誇的份兒？』於是又請張昭上朝。

這個時候，遼東地方的公孫淵派了一個代表到吳國來，說要奉表稱臣，信裡寫得非常客氣。孫權高興得不得了，即刻派人備厚禮前往遼東，封公孫淵爲燕王。

張昭接到消息，拄著枴杖上朝，反對孫權的計畫，認爲公孫淵不可靠，萬勿上當，和孫權在朝廷上辯論起來。

孫權按劍大吼：『吳國的士人入宮則向我下跪，出了宮門則拜見你，我對你的尊敬可以說到了頂點，而你竟然三番兩次在羣臣前侮辱我，我忍無可忍了啊！』

張昭聽了，臉色發白，張大了眼睛瞪著孫權，過了許久，才顫抖著說：『我知道我的話不中聽不被採納，我還是盡心竭力効愚忠，實在是因爲太后去世前，把我叫到床前遺詔託命啊。』這段話講得披肝瀝膽，張昭老淚縱橫，孫權也放聲大哭，把劍摔在地上。

可是孫權畢竟沒有接受張昭的意見，派了兩個使者去遼東。張昭氣憤之下，託病回家。

孫權恨死了這個老頑固，派人用泥土堵塞了他家的大門，意思說：『你老骨頭死在裡面也罷。』

張昭的脾氣也大，他找了泥水匠來，在自己門內又加了一道泥土，把整個門塗得像夾心餅乾，怒氣沖天指著門發誓：『我就是死在家裡也絕不上朝。』

以後，不出張昭所料，公孫淵非但沒有誠意，而且把孫權派去的兩個使者殺掉了。孫權才明白張昭的一片忠誠，心中非常懊惱，派人去向張昭道歉、慰問。

張昭賴在床上相應不理。

孫權親自拜訪，張昭還是不肯下床。

『好，你不出來，我有辦法。』孫權禁不住心頭火起，派人在張昭門口堆了柴草，放火燒門。

張昭卻依然不肯動一步。孫權又差人滅了火，再次慰問，張昭的家人怕張昭做得太過分，子子孫孫把張昭前呼後擁的扶了出來，君臣相見，一場誤會才算冰釋。

張昭的做法也許太過激烈，但他爲了爭原則，爭國家的光榮，拚著腦袋搬家的危險仍然堅持不改，這種擇善固執、嫉惡如仇的態度值得我們效法。

閱讀心得

【第137篇】神童王粲。

在三國時代，由於曹操父子喜歡詩歌創作，而加以獎勵提倡，因此當時雖然政治上一片紊亂，文學上卻非常光明，有所謂『建安七子』（在漢獻帝建安年間七個文學領袖），王粲就是七人之中拔尖的。

王粲的家世顯赫，大將軍何進想高攀這門親事，選王粲做女婿，王粲的父親不肯答應，因而辭職，把王粲帶到了長安，那一年他十四歲。

王粲是個天才兒童，文學修養深厚，當時的文壇領袖蔡邕對他相當器重。

蔡邕的聲名很大，家中車水馬龍，天天賓客盈門。

有一天，大家正恭敬的聆聽蔡邕批評某篇文字的優劣，忽然，門外有人說：『王粲來了。』

『眞的？太好了！』

蔡邕慌慌忙忙站起來，連鞋子也沒有穿好直往前撞。

大家不知來了什麼稀客，值得蔡邕如此器重，也紛紛顧不得穿鞋，一窩蜂擠去看熱鬧。

『就是這個小子啊！』

王粲走了進來，矮小瘦弱，相當的難看。三國的風氣，很注重男子的

容貌，賓客們心裡不免失望。尤其王粲的態度隨隨便便，更讓人看不順眼，不自覺露出鄙夷的眼光。

蔡邕也看出眾人心裡的想法，他把王粲拉近身旁，用興奮的語氣向大家宣佈：『各位，這就是王粲，他的才華連我都配不上哩。』喔？眾人的目光一起向王粲，上上下下打量著，怎麼也看不出其貌不揚的王粲有何特異之處。

這段故事就是我們常見的成語『倒屣迎之』的出處，屣是鞋子。用來形容貴客來拜訪，連鞋子都來不及穿，急急忙忙跑去相迎。

王粲有一個特殊的本領——過目不忘。

一天，他和朋友到野外散步，看到道旁有塊碑文，走了幾步以後，王粲的朋友問道：『你記得剛才我們看到的碑上寫些什麼嗎？』

『當然！』

他的朋友不相信，拉著王粲跑回碑前，王粲仰著頭，一口氣滔滔汩汩背了出來，竟然一個字也沒錯。

又有一次，王粲背著手看人家下圍棋，其中一方不小心把棋盤碰亂了，說道：『抱歉，這一局沒法子玩下去了。』

『沒關係，我幫你們擺回原來的樣子。』王粲熱心的說。

下棋的二人同時拋來白眼道：『別開玩笑了，你有本事就在另張桌上擺一盤和現在一模一樣的。』說著，用手帕蒙住了棋盤，存心捉弄王粲。

王粲抓起白子、黑子，一會兒工夫就擺好了，等到兩位朋友掀開手帕，互相一對照，嚇得嘴巴張得大大，一句話也説不出。

他在十七歲那年受命爲黃門侍郎。然而因爲時局太亂，輾轉逃出了長安，投奔荊州的劉表，原因是聽説劉表十分欣賞有才學的人。

劉表雖擁有愛才的美名，卻並不能任用賢人，他先前由於蔡邕的大力推崇，對王粲報以厚望，等到發現王粲竟是這般不起眼，馬上興趣全失，臉色陰暗了下來。

王粲滿懷希望而來，被澆了一盆冷水，待了許久，一官半職都沒有等著，憂鬱煩悶，信步走到樓上，眺望遠處，想起了種種失意的悲痛，寫下了生平的代表作『登樓賦』。

在『登樓賦』中，王粲道盡了遊子的心聲，寫出了有家歸不得的痛苦，深刻而細膩，即使在今天，人們看了仍會勾起一陣鄉愁。

後來，劉表去世，其子劉琮繼爲領袖，劉琮是個軟弱無用的人，王粲勸他降曹操，劉琮果然降曹，使得曹操不費一兵一卒佔有了荆州。曹操爲了獎勵王粲，立刻賜以關內侯的爵位，曹操在漢水之濱設宴慶功，王粲站起來敬酒，獻媚的說：『你眞是英雄啊，眞是三國的開國之君啊！』猛拍馬屁，肉麻極了。

王粲雖然長相不討人喜歡，他在文學上的成就是有目共睹的。然而王粲的巴結曹操頗爲後人所不齒，因爲我們中國人講究的是言行合一，一個人如果沒有道德，文章寫得再出色也為人所輕。

閱讀心得

【第138篇】

司馬懿演技精湛。

自從諸葛亮去世以後，魏明帝曹叡去除了一個心頭大患，加上吳國連連吃敗仗，明帝得以高枕無憂，盡情享受。

明帝找來了一個叫馬鈞的，在九龍池中做水轉百戲。（就是用木偶做成的各種人物禽獸，女樂吹簫，優伶擊鼓，鬥雞舞象，利用水力開動，使各種木偶做出優美的姿態，栩栩如生，好看極了。）明帝貪色，宮中從妃嬪到灑掃的女工，個個貌美如花，共有數千人之多。

明帝因爲沉迷於逸樂，弄得身體很壞，才三十多歲已經病得很嚴重，到景初三年，益發不能支撐。由於明帝沒有兒子，抱養了八歲的齊王曹芳爲兒子。

到了這一年的冬天，明帝是一天比一天衰弱，他把平日最親信的兩個臣子劉放、孫資叫到床前：『依你們看，有誰可以爲幼主輔佐政務的？』

此時，曹爽（曹操的族子）正低著頭伺候在一旁，劉放、孫資互相使了一個眼色，劉放就上前一步道：『曹爽。』

『我？』曹爽嚇了一大跳。

曹爽頭上的汗珠一滴一滴沿著鼻梁流下，呆若木雞，劉放躡著脚走到曹爽耳旁：『請放心，我們會拚死幫助你的。』孫資又在旁邊幫腔：『如

果陛下覺得曹爽太年輕，司馬太尉老成謀國，可以與曹爽共擔大任。』

司馬太尉指的是魏國的大將軍司馬懿，明帝對他很有信心，於是，拜（拜是古時候任官的意思）曹爽爲大將軍，並且緊急飛傳司馬懿進京。

司馬懿快馬加鞭趕到京城，明帝只剩下最後的一口氣了，他望見司馬懿，眼淚立刻像斷了線的珠子般流下：『我希望你和曹爽共同輔佐少子，唉，我忍死拖在這裡，就等著和你見最後的一面，現在總算見著了，我可以去了。』說著喚人把曹芳找了來，摟著司馬懿的脖子親熱一番，司馬懿跪在床前，哭得抬不起頭，明帝就一命嗚呼了。

司馬懿乃曹操手下的一員大將，足智多謀，立過許多戰功，可是，曹操不讓司馬懿陞遷到很高的官位，這是因爲司馬懿長了一副『狼顧』之相，所謂『狼顧』之相，就是一個人能把自己的腦袋向後轉一百八十度。像狼的頭向後轉時，鼻子可以和尾巴同一個方向。

中國人的相書裏認爲，有『狼顧』之相的人會反覆無常，不可信賴。

曹操相信相人之術，所以不敢重用司馬懿，等到曹操死後，曹丕才重用司馬懿，到魏明帝時，司馬懿成了魏國最高官職的武將。

曹芳即位，他是八歲的小孩子，什麼都不懂，政權落入了曹爽及他身邊一批人手中，司馬懿只有太傅的空名，沒有實權，爲了避免和曹爽起衝突，司馬懿便請病假在家中休養，足不出戶，曹爽摸不透司馬懿在弄什麼玄虛，見不到司馬懿的面，也不知司馬懿是眞的病了還是裝病。

過了好幾年，曹爽的心腹李勝升爲荊州刺史，臨走之前去司馬懿府上辭行，他發現曾經叱咤一時的司馬懿眞的是老了，白髮蒼蒼，面色死白，喉頭的痰『呼嚕、呼嚕』響個不停。

司馬懿見到李勝來了，命兩個婢女幫忙穿衣，衣服才披上，又掉落在地，司馬懿連扶住衣服的力氣都沒有，神色沮喪的說：『我口渴了。』兩個婢女捧著一碗粥餵司馬懿喝，他在碗邊啜了一下，不但未曾下嚥，反而從嘴角流了出來，一直流到胸前，李勝看了，想起司馬懿當年在沙場上的英勇，如今落到這般光景，心一酸，眼眶也溼熱了，嘆著氣道：『我聽說你的舊病復發，沒想到如此嚴重。』

司馬懿掙扎了半天，才氣喘吁吁道：『老嘍，活得過今天，拖不到明天，聽說你要去幷州，幷州那兒胡人多，要當心啊，咱們今天是最後一次相見了。』說著，眼淚爬滿了臉。

『我很幸運的擔任荊州刺史，不是幷州。』李勝急急忙忙的解釋。

『什麼？』司馬懿側著耳，不解的問。一連聽了好幾遍才弄清楚是荊州，不免搖頭嘆息：『人老了，耳朵也不中用了。』

接著，司馬懿又說道：『我有兩個犬子，司馬師、司馬昭還要請你以後多多關照，我恐怕不成了。』說著，又流下眼淚，眞像是臨終託孤一般，李勝看了，心裏也很難過，安慰了司馬懿幾句，便匆匆告辭了。

李勝辭別了司馬懿，立刻稟報曹爽：『司馬懿病得厲害，老邁不堪，早晚就要斷氣了。』聽到李勝的報告，曹爽便放鬆了對司馬懿的警戒心。

魏正始十年，曹爽帶著曹芳離開京城去掃墓，回到洛陽城，突然發現城門緊緊的閉著，聽到整個洛陽城已經被司馬懿父子佔領了。

『怎麼可能？』曹爽著急的拍著頭：『他不是快死了嗎？』後邊那句話聲音很低，因爲曹爽已經恍然大悟，司馬懿使曹爽對他放鬆戒備。原來，司馬懿聽說曹爽出城去掃墓，城內只留下一些守備的軍隊，這些軍隊的將領都是司馬懿的舊部下，司馬懿立刻召集將領們，宣佈將城門緊閉，然後，親自去皇宮裏見太后。

這時，司馬懿一點病態都沒有了，李勝所看到的一幕，其實是司馬懿的演戲，李勝竟中了計，以爲司馬懿眞的老病不堪？

在司馬懿的威脅之下，太后下了一道命令，指出曹爽許多罪狀。司馬懿派人將太后的命令送到城外。

曹爽接到太后的命令，嚇得手足無措，這時，司馬懿又派了一個心腹來見曹爽說：『只要大將軍（指曹爽）自動辭去所有的官職，放棄一切權力，太傅（指司馬懿）保證大將軍可以做一個富家翁。』

此時，大司農桓範建議曹爽：『怕司馬懿幹什麼？別忘了，天子還在你的手裡，你可以保護天子到許昌，然後號召天下共同對抗司馬懿啊！』曹爽踱著方步，走來走去，走了一天，終於下定決心道：『我的家眷都在京城裡，他們會被司馬懿殺掉啊！算了，我把所有的權位都讓給司馬懿吧！縱使不做官，反正我總還是個富家翁。』

回到京城，曹爽把所有官職都放棄，政權由司馬懿控制，曹爽做了無官的『富家翁』，但曹爽這個『富家翁』日子很難過，司馬懿在曹爽家中四個角落，搭起了四座高樓，每個高樓上駐了兩百名兵士，嚴密的監視著一切。

曹爽有一天悶得發慌，百無聊賴的走到後花園散步，樓上的兵便一起高聲的叫道：『前大將軍東南行！』他一抬頭，發現兵士們都虎視眈眈盯住他。曹爽轉身向東北走，東北角高樓上的士兵便大叫：『前大將軍東北行！』曹爽氣得不得了，但是，高樓搭在圍牆之外，自己是一個沒有官職的老百姓，怎有權力把高樓拆掉？想來想去，只好忍著氣回到屋裏。

司馬懿的用意，原是想給曹爽精神壓力，曹爽承受不住，也許會自殺了事。不料，曹爽真能忍耐，始終未曾自殺。司馬懿決心除掉曹爽，便翻出了曹爽以前的過失，處以死刑。

曹爽死後，司馬懿大權獨攬，埋下了司馬氏篡魏的種子。

閱讀心得

【第139篇】

阿斗樂不思蜀。

蜀國自從諸葛亮去世以後，國勢一落千丈，臣子們之間互相猜忌，誰也不服氣誰，最糟糕的是劉備的繼承人——劉禪（小名叫阿斗）眞是一個『扶不起的阿斗』。

諸葛亮在世時，阿斗對他又敬又怕，一切都由諸葛亮包辦，朝廷上倒還是一片祥和。諸葛亮去世後，阿斗逐漸寵著太監黃皓。

黃皓是個鬼靈精，會拍馬屁、會察言觀色，看到阿斗有些不高興了，馬上『撲通』一聲直挺挺的跪在地上，一邊打自己的嘴巴，一邊罵自己『都是奴才該死，惹得皇上生氣。』然後裝出各種嘻皮笑臉的模樣當小丑。阿斗認爲黃皓對他很忠心，特別喜歡他。

由於黃皓在皇上面前走紅，巴結的人自然多了。因此宮廷大權幾乎都被這個小太監掌握住，許多厚臉皮的士大夫，爲了保全自己的官位，也不惜用各種方法討好黃皓，黃皓本來是個沒有學問的奴才，竟然管起軍國大事，那實在是件可怕的事。

諸葛亮在世時頗爲賞識的年輕將領姜維，看到黃皓實在太不像話了，忍不住稟告後主阿斗，請求殺掉黃皓以維繫人心。

『哎，他不過是個供奔走的小奴才，你幹什麼這般介意。』阿斗護短

得厲害，姜維也沒有辦法，只有看著黃皓揚著臉，大搖大擺，一竅不通的胡亂指揮一番。

該來的總是會來的，魏國大將鄧艾率領著趾高氣揚的士兵，迎風招展著繡有『魏』字的旗子，得得達達騎著馬，一路敲鑼打鼓的直入成都北門。

這是諸葛亮用一生的心血，辛辛苦苦，全心全意維護的據點，他還準備以此為根據地統一全國的哩，如今，被鄧艾的馬蹄無情的輾了過去。

阿斗用繩子把自己五花大綁捆好，旁邊停了一輛車，車中連自個兒的棺木都已安放妥當，他率領著文武百官六十餘人流著淚跪在道旁，迎接鄧艾的到來。

鄧艾看到跪在地上的阿斗，那一臉徬徨無助又害怕的蠢相，再看看那口阿斗準備躺進去的棺材，心裡頭眞是鄙視，又可憐這個無用的君主。他下馬，親自把阿斗的綁給鬆了，然後用一把火將棺材燒掉。阿斗看到棺材燒了，心想『小命總算撿回來了』，忍不住心花怒放，臉上滿是笑意，蜀國有些舊臣，看著阿斗的醜態，想起諸葛亮，五臟六腑像被火燃著一般，又熱又痛。魏國大概是故意諷刺阿斗，封他爲安樂公，並且命令阿斗舉家遷到洛陽。蜀國的舊臣對這位君主十分惱怒，又覺得丟人，沒有一個肯跟著從行。

只有一個叫郤正的老臣，顧念諸葛亮及劉備當年的一片恩情，狠著心，拋棄了家小，隨著阿斗上路。阿斗一路上不曉得鬧了多少笑話，都靠著郤正指點，才勉勉強強到達了洛陽。

阿斗剛到洛陽時，揑著一把冷汗，終日惴惴不安。這時司馬懿已死，司馬昭當權。司馬昭的原意是惟恐蜀國再次復興，因此把阿斗逮來就近監督，如今看到阿斗這不成材的樣子，放心不少，就蓋了一間漂亮的官舍，讓阿斗搬進去，每天吃香的、喝辣的。

阿斗天天過得逍遙自在，眞像是個『安樂』公。有一天，司馬昭爲了羞辱阿斗，故意在宴會中表演蜀技，阿斗的家人觸景傷情，彷彿胸口被插進了一塊冰，只有阿斗談笑自若。『你想不想念蜀國呢？』司馬昭試探的問。

『嗯，』阿斗用手塞了一塊雞肉到嘴裡，含糊的說：『這裡好得很，我不想念蜀國。』

卻正在旁邊聽了，臉色發白，難堪到了極點。酒席完後，他立刻跑去找阿斗：『以後晉王再問起時，你要流著眼淚說，我先人的墳墓遠在蜀國，沒有一天心裡不想念的。』

『知道了。』阿斗爽快的答應著。

不久以後，司馬昭又問起阿斗：『你想不想念蜀國呢？』阿斗記起郤正的話，原樣兒背了出來，然後死命的閉著眼睛，企圖想要擠出幾滴眼淚來。

司馬昭奇怪的問：『這話不像你講的，倒有點像郤正的口吻嘛！』

『啊，本來就是他要我這麼說的嘛。』阿斗張開了眼睛，委屈萬分的辯白道。旁邊的人實在忍不住了，笑個不停，阿斗看著大家笑，也跟著一塊傻笑，害得大家更笑得直不起腰。

這便是成語『樂不思蜀』的典故，形容一個沒有志氣的人，在優裕的環境裡就快樂得忘記故國與本土，爲人所不齒。

閱讀心得

【第140篇】

司馬昭之心路人皆知。

司馬懿掌握魏的政權不久便去世了，他的大兒子司馬師繼承了權位。司馬師死後，他的弟弟司馬昭掌權位，司馬昭比他哥哥更囂張，而且一心一意想篡取帝位，本爲高貴鄉公而做了皇帝的曹髦，年紀雖小，却氣不過司馬昭的跋扈，憤怒的對左右人說：『司馬昭之心，路人皆知，我不能坐受廢辱！』這就是成語『司馬昭之心，路人皆知』的典故，形容一個人的野心企圖，連過路人都看得一清二楚。

於是，就在景元元年，小皇帝曹髦拿著劍，率領著宮裡的僕役衝殺出宮，討伐司馬昭。

小皇帝帶著沒有受過軍事訓練的僕役來到司馬昭的丞相府門口，這可把丞相府的衛隊嚇壞了，不知道該不該遵照小皇帝的命令，開門讓小皇帝進府裏去。

衛隊裏有個名叫成濟的小官，急忙跑去見賈充，賈充是丞相府裏的總管。成濟把小皇帝殺到丞相府裏來的事報告一遍，同時請示如何處理。

『這個嚒！』賈充老奸巨猾地摸著鬍子：『丞相養你們這麼久，爲的就是今天，你還不會處理嗎？』

賈充的話並沒有明白指示該如何應付小皇帝。但是，成濟自以爲聽懂

了賈充的話，立刻跑到丞相府的門口，拿了一把利劍，和小皇帝對打起來，小皇帝根本不是對手，只三兩下，成濟便一劍刺入小皇帝的胸膛，小皇帝大叫一聲，鮮血直噴，倒地身亡。

皇帝在丞相府門口被人殺死，這是歷史上從未有過的事。當時，立刻有人飛快去稟報司馬昭。

司馬昭聽說小皇帝在眾目睽睽之下竟被人殺死在丞相府門口，嚇得倒在地上大罵：『豈有此理，皇帝死在我家門口，全天下的人都會指責我，我豈不是成了弒君的兇手！』

『相爺別緊張，我有一個主意。』賈充在一旁說：『殺皇上的是成濟，相爺何不立刻進宮，向太后報告成濟弒君，應處以極刑。』

於是，司馬昭立刻進宮，用太后的命令，一面指責曹髦不該率衆殺到丞相府，這種行爲不配當皇帝，應該廢爲庶人，一面又指責成濟弒君，應誅殺本人及其家族。

成濟自以爲立了大功，沒想到竟成爲滅門之禍。

當小皇帝曹髦準備攻打丞相府之前，曾經召集大臣王沈、王業、王經商量，王經不贊成小皇帝的計畫。

王經說：『現在大權操在司馬氏手中很久了，司馬氏的死黨佈滿了朝廷與地方，他的威勢旺盛。可是，陛下這一方面正好相反，皇宮的衛隊不但人少，而且，素質又差，也沒有精良的武器，陛下拿什麼去對抗司馬昭？如果你要親自去討伐司馬昭，我怕事情會僵到不可收拾，禍不可測，我希望陛下再慎重考慮。』

小皇帝根本聽不進去，他從口袋裏掏出一個黃綢布，那是小皇帝自己寫的一份詔書，宣佈討伐司馬昭。小皇帝說：『我決定幹了，死就死吧，怕什麼？何況還不一定會死！』說完，氣呼呼地把黃布詔書擲在地上。王沈、王業立刻奔往丞相府，把事情報告司馬昭，王經則不肯去，但也不隨從小皇帝去攻打丞相府。

小皇帝被殺以後，司馬昭認爲王經不肯依歸自己，便以太后的命令，逮捕王經。王經在入獄以前，叩見母親，說明被捕的原因。王經的母親臉色不變，微笑地對王經說：『那一個人不會死，只怕死不得其所。孩子，你在皇上面前說眞話，又不阿附司馬昭，算是個正直的好人，以此而犧牲生命，也沒有什麼可遺憾的了。』

王經終於被判死刑，王沈則因爲向司馬昭通風報信有功，被封爲安平侯。

小皇帝曹髦既死，又沒有兒子。在司馬昭安排之下，擁立常道鄉公曹奐爲皇帝，就是魏元帝。曹奐年僅十五歲，一切政治大權仍操在司馬昭的手中，封爲晉王。

司馬昭雖然跋扈，但是，對有風骨的人仍然十分敬重。

有一次，太尉王祥，司徒何曾，司空荀顗三人共同去見司馬昭，在進入丞相府之前，荀顗對王祥、何曾說：『晉王地位崇高，滿朝文武大臣都向晉王行最恭敬的禮節，我們三人今天進府裏去，一定要行跪拜大禮。』

王祥立刻反對道：『晉王雖然尊貴，仍然是魏國的宰相，我們是魏的三公。晉王和三公的階位只差一級而已，那有三公拜王爺的道理？如果我們跪拜，不但有損魏的威嚴，也讓晉王的品德有虧，君子愛人以禮，我不幹這種事。』

三人進了府，荀顗、何曾都行跪拜之禮，王祥卻獨自作了一個長揖。司馬昭對荀顗和何曾的大禮當然很高興，對王祥能固守身分，不肯隨便討好，更是大爲欣賞，司馬昭非但沒有責備王祥，反而對王祥說：『今日我才體會到你是多麼尊重我啊！』

閱讀心得

【第141篇】

阮籍的故事。

自從東漢末年的外戚、宦官之禍，到三國的一片混亂，殺人無數，老百姓的生活苦不堪言，人們對現實感到寒心失望，精神寂寞空虛，有的人盡情享受，追求短暫的快樂，也有的人任性胡爲，把生命當成一種可笑的遊戲。

阮籍是『建安七子』之一阮瑀的兒子，長得相貌堂堂，學問很好，他爲了逃避當時的環境，和王戎、阮咸等七個人隱居在山陽縣的竹林裏面，徜徉於青山綠水之間，瘋瘋癲癲，社會上一般讀書人很羨慕他們這種放蕩的生活，尊稱爲『竹林七賢』。

阮籍很少開口講話，整天都緊閉著一張嘴，有的時候又大發議論，講個不休，他的眼睛長得怪怪的，可分爲青色、白色兩種，看著順眼的人他才用青眼看人；一天，稽喜來家裡，阮籍認爲稽喜爲人俗不可耐，討厭到了極點，就翻著一雙死魚眼般的白眼瞅著稽喜，稽喜又羞又惱，卻又無可奈何。

兗州刺史王昶聽説阮籍風度翩翩學問不錯，費盡心血與阮籍相見，阮籍冷冷的不説一個字，臉上也沒有一絲表情。王昶拿他沒有辦法，卻益發覺得此人有意思、有個性，更加敬重他。

太尉蔣濟也推薦他出來做官，阮籍又一口回絕了。蔣濟很不開心，氣咻咻罵著『這小子不識抬舉，混帳東西』，準備好好修理阮籍。阮家的親友苦苦相勸，他才勉強就職，然而做了沒有多久，就自稱有病辭歸鄉里。

司馬昭十分仰慕阮籍的才名，很想和阮籍結爲兒女親家，阮籍向來討厭政治人物，所以不願意接受。

有一次，司馬昭請阮籍喝酒吃飯，酒席之中，司馬昭稍微表示結親的意思。阮籍不等司馬昭說完，立刻向司馬昭敬酒，自己則一飲而乾，一杯接一杯，不久就酩酊大醉，司馬昭沒把結親的事說完，只好派人送阮籍回去。

後來，司馬昭又請阮籍吃飯，再度提到兒女的事，阮籍重施故技，自己灌醉了自己。司馬昭可也是聰明人，知道阮籍不願意結親，只得作罷。

有一天，阮籍向司馬昭要求任命自己爲東平太守，大出司馬昭意外，因爲阮籍一向是不屑爲官的。既然阮籍開了口，司馬昭立刻同意，任命阮籍爲東平太守。

其實，阮籍不是眞的想做官，他只是聽說東平的風景美麗，想去遊覽一番，受命爲東平太守，等於是一次免費的觀光旅遊。

阮籍獨自一人騎了一隻小毛驢去上任，到了東平，也不處理公務，只命木匠把太守的官邸四周牆壁拆除，木匠弄不淸楚阮籍的用意，阮籍笑著說：『你看，外面的風景多好，我把牆壁拆掉，躺在床上，也可以欣賞到美景，那才是樂事哩！』

阮籍每天遊山玩水，當他把東平的山水都玩遍後，便又回到洛陽，向司馬昭辭職不幹了。

不久，阮籍又主動向司馬昭要求擔任步兵校尉，司馬昭總是順著阮籍，立刻任命阮籍爲步兵校尉。當然，阮籍並非投效軍旅，原來他聽說步兵營廚房的大師傅善於釀造美酒，貯有陳年美酒三百斛，就噙著口水去上任了。

到任的當天，一大羣將領士兵和官員列隊歡迎，等候了半天都沒有等著。最後有人發現，阮籍找進了酒窖，喝得酩酊大醉，頭歪在一旁呼呼大睡。

步兵校尉的職務理該繁忙，但阮籍依舊我行我素，不好好辦公，成天遊遊蕩蕩。只是凡有宴會，阮籍一定不請自到，而且喝得醉醺醺，不省人事。

雖然不守常理，阮籍平日對母親倒是一直很孝順。一天，他正與人下圍棋下得緊張時，忽然有家人來報告，說是阮母已在後堂病逝了，與他對弈的人立刻站起來，慌慌忙忙長長一作揖，準備告退。

『急什麼，下完這一盤再走！』

不由分說，阮籍硬拉著人家決了勝負，然後放聲痛哭，哭完了，吐血數升，在居喪期間，依舊照樣每日非酒不可。

他的朋友前來弔喪，阮籍披頭散髮，呆呆的蹲在一旁，依喪禮，有人弔喪，家屬應答禮，一直到今天我們在殯儀館仍是如此。阮籍不哭，也不跪，他的朋友告退後，外邊批評道：『主人如此無理，你何必哭得這般傷心？』阮籍的朋友說：『他是方外之士，我是俗中之人，不可無禮。』而當時竟然有人也讚美阮籍與他的朋友都是『相當難得』。

阮籍家隔壁有個賣酒的少婦，面貌十分豔麗，阮籍天天去買酒，醉了，就躺在少婦身旁呼嚕呼嚕睡著了。

『喂，這是幹什麼？』少婦的丈夫起初看到，大爲不悅，捲起袖子就要揍人。以後，發現阮籍沒有惡意，也就任憑他去。他當步兵校尉時，手下一個軍士的女兒，色藝雙全，不幸忽然得了急病死去了。阮籍並不認識他們家裡任何一個人，聽說了這件事，備了幾份厚禮，親自去致哀，哭得昏天黑地，趴在墳前不肯站起來，旁人譏誚他不懂禮法，神經不正常，阮籍揚著臉道：『笑話，禮教豈是爲我阮籍所設？』

他又常常駕著一輛小馬車，毫無目標的在野外亂闖，哭哭笑笑，舉止怪異。然而腦筋卻十分清楚，提起筆來就是一篇佳作，連一個字都用不著改。

阮籍的種種行爲，都是一種消極的逃避心理，他不滿現實，藉酒裝瘋，麻痺神經，心裡非常痛苦。

由於當世人對現實不滿，看到阮籍這種違反傳統的叛逆行爲，起初看不過去，慢慢的形成一種風氣，認爲就是要像阮籍這樣玩世不恭，凡事都不在乎，才時髦，才脫俗。誰要再講救國救民的大道理，眞是『俗氣』，於是形成社會上一片衰靡之氣。

閱讀心得

【第142篇】阮咸與豬同醉。

說到三國歷史，不能不提到正始玄風，因爲正始玄風對三國以後的魏晉南北朝有很大的影響：風俗敗壞，禮教崩潰，國家分裂，民生塗炭，長達三百餘年，是中國歷史上的黑暗時代。

什麼叫正始？正始是魏明帝去世以後，魏少帝曹芳即位後的年號。這段期間內，士大夫們恣情放縱，排棄禮教，每日高談玄理，而不求踏實的學問。

爲什麼會產生正始玄風的呢？原來自從曹操攬權以後，一方面他看不慣東漢有些僞君子沽名釣譽，另一方面曹操要講究實利，曾三次下詔書徵求人才，内容強調注重才能，不考慮品德，使得社會上一般人道德觀念一天比一天淡。

後來，魏文帝曹丕即位，臣子陳羣建議用『九品中正法』選拔人才。九品中正法，簡單的說就是州設『大中正』，郡縣設『小中正』官，用這些官來評定人物的優劣，把人分爲『上上、上中、上下、中上、中中、中下、下上、下中、下下』九等，作爲政府用人的標準。久而久之，選拔日漸不公平，豪門大族擔任中正官後彼此勾結，造成了『上品無寒門（出身門第清寒之人），下品無世族（世家大族的子弟）』，家裡窮的，永遠擠不入上品，

丁記酒坊

而下品官內也不會有世族子弟。這種不公平的選舉辦法，使人們有前途黯淡悲觀的淒涼之感。人心日趨委靡。阮咸的放蕩行爲正好對此做一個說明。阮咸是阮籍的姪兒，性情放達不受拘束，他很崇拜叔父阮籍，時常跟著叔父一塊兒遊山玩水。

在阮籍的家鄉，『阮』是一個大姓，北邊的阮族——北阮個個衣著光鮮，都是有錢人，南邊阮咸住的都是阮姓的貧戶，人民稱之爲——南阮。

每年到了七月七日，北阮的富戶就把家中的綾羅綢緞統統晾了出來，彼此讚嘆，也顯一顯家裡的闊氣。否則，成年壓在箱底，沒有機會『亮相』，實在太可惜了。

阮咸屬於南阮，對於北阮的作爲大爲不滿。『你掛，我也掛』，阮咸不甘示弱，立刻找了根竹竿在大街上撐了起來，他家中哪有什麼錦繡羅綺呢？阮咸把些粗布衣、臭褌子、爛了一半的短衣全都亮出來獻寶。

南阮的窮戶覺得丟人，紛紛要阮咸把竹竿收起來，忿忿的說：『丟人現眼。』

『嘻嘻，不能免俗，有總比沒有好。』阮咸嘻皮笑臉的回答。

阮咸的姑母有個婢女，人長得挺標緻，阮咸每次去姑母家，總要藉機會去逗逗她玩，胡鬧一陣子。

有一天，阮咸家中有貴客降臨，正在招待著，忽然聽見家人說：『姑母要搬到遠處去了。』

阮咸一聽此話，非同小可，也顧不得貴賓在座，奪門而出。更過分的是，阮咸竟然搶了賓客的快馬直往姑母家中奔去。

一路上跨馬揚鞭，塵土遮天，惹得路人側目而視，阮咸也不管，追上了姑母的車後，硬把婢女自車上奪下，摟抱著婢女，親親熱熱，雙雙而歸。許多人都湧過來看熱鬧，指指點點，竊竊私語。阮咸也不在乎，高聲的『哈哈哈』大笑，猛的用鞭子一抽，馬兒立刻咆哮急奔而去，傳來阮咸更加狂妄自大的笑聲。

阮咸自命爲不守禮法的時髦人士，因此，他請族人喝酒，不用杯子，大家圍在酒缸旁，有的隨便用容器，有的直接用手掬起來便喝。

喝得微醉了，『好酒，好酒』，有位族人把頭伸進酒缸裡喝個痛快，其他人跟著效法，臉上、髮上，全沾滿了酒，酒缸中也沾了不少人的汙垢、頭髮、汗水，大夥也不以爲忤，喝喝笑笑，手舞足蹈，快樂似神仙。

也許這些名士崇尚自由吧，將人心比『豬』心，他們想豬大概也不喜歡受拘束，所以阮咸家裡的豬可以自由的走來走去。

『嗯，嗯』，豬也聞到了酒香，拖著笨重的身軀，蹣跚的爬了過來，靠近了酒缸。

『碰』的一聲，豬也學著阮咸，把腦袋浸入了酒缸，『呼嚕，呼嚕』大口的吸著，阮咸等既不生氣，也不嫌豬臭，反而認爲人豬共飲，倒也別開生面，覺得新鮮而有趣。

閱讀心得

【第143篇】

酒鬼劉伶。

竹林七賢是魏晉時代的所謂名人雅士，他們自命高超，喜歡談論老莊，即使居高位，對國家治亂仍漠不關心。下面再講一個七賢之一——劉伶的故事，讓大家更進一步了解他們的作風。

劉伶，字伯倫，沛國人，容貌醜陋，他的人生哲學是世間一切得失都是相對的，富與窮，生與死都差不多，宇宙極小，萬物一般，沒有任何事物值得去奮鬥、去追求，除了一樁——酒。

劉伶因爲自命脫俗，不屑與平常人往來，只與阮籍、嵇康等相交，時常攜手在竹林遨遊，當然也少不了以酒助興。

劉伶平常不做事，靠祖宗的田產過活，他喜歡乘著一輛鹿車，帶著一壺酒，悠哉遊哉到處遊山玩水。

他出去玩的時候，總叫一個小童，扛著鋤頭跟在後面，劉伶拿起酒壺『咕嚕咕嚕』往喉嚨裡灌，對小童說：『隨時隨地，死便埋我，死在哪兒，就葬在哪兒。』交代完後事，他便提著一壺酒上路了。當時士大夫對於劉伶這種把生命看得毫不在乎的作風，佩服得不得了，紛紛仿效，稱爲『放達』。

劉伶的太太最怕聽他講這種不吉利的話，但是，看他那副要酒不要命

的德行，有一天死在路上也不是沒有可能。因此每回劉伶駕著鹿車出遊，她就心裡七上八下，著急萬分，一直要等劉伶歪歪倒倒醉醺醺的回到了家才安心。

『我們家裡窮，你又不肯做事，也就算了。身體不好，又天天喝酒，這樣下去怎麼辦？』劉伶的太太一天到晚嘀嘀咕咕，他一句也沒聽進去。有一天，劉伶的太太大發脾氣，把他的美酒、酒器統統一起砸得稀爛，強迫劉伶戒酒。

劉伶嘆了一口氣道：『也不是我不肯，只是個性如此，要戒酒，除非禱告鬼神助我斷酒。』

『眞的？』劉伶的太太看他終於有悔悟之心，十分欣慰。忙著殺雞宰羊，張羅酒菜，在庭前佈置起香案，先必恭必敬拜了幾下，然後滿懷興奮把劉伶拉來。

劉伶『撲通』一聲直挺挺下跪，大聲禱告道：『天生劉伶，以酒爲名，一飲非一斛不可，要五斗才能盡興，婦人之言，愼可不聽！』說著扯下一隻雞腿大嚼，『哈，婦人之言，愼可不聽！』捧起祭祀的美酒便喝。

劉伶的太太被氣得臉兒一陣白，一陣紅，又羞又惱，啼笑皆非。

過了幾天，劉伶在外面又因爲喝酒和一個粗人起了衝突。那個粗人野蠻得很，捲起袖子掄著拳頭就要揍劉伶。

『慢著，慢著。』劉伶倒退了幾步，用手護著前胸道：『我這幾根雞肋禁不起你的拳頭。』那粗人看看劉伶的幾根排骨，的確有點兒像雞肋，笑得上氣不接下氣捧著肚子走了。

劉伶還有一個怪毛病，喝酒喝得酒酣耳熱了，就開始動手脫衣服，一直脫到一絲不掛爲止。

一次，他又喝醉了酒，脫光了衣服，坐在書桌前讀書。忽然有一個客人闖入，發現劉伶赤身裸體，大吃一驚面紅耳赤。

客人把臉別過一旁；怒聲責備：『你這個人怎麼這般無禮？』

劉伶昂然答道：『我以天地爲房舍，屋宇爲衣褲，你莫名其妙走到我褲子裡，是自討沒趣，少見多怪。』

竹林七賢果真像他們自己所說，與天地萬物合一，淡泊寡慾嗎？錯了，他們是以唾棄禮教而求名，以世人不齒之事，看作是風流雅事，用來沽名釣譽。前些年，歐美有些青年在大街上裸奔，惹得路人尖聲怪叫，他們自己覺得十分過癮，這和魏晉之時劉伶差不多，都很無聊。

閱讀心得

【第144篇】

矯揉造作的竹林七賢。

嵇康是竹林七賢中被公認爲最多才多藝的。他少有奇才，讀書的悟性很高，身長七尺，挺拔瀟灑，有仙風道骨的風采，當時人稱他爲『龍章鳳姿』。

魏晉時代的人對外貌非常注重，嵇康俊美，文章又寫得好，很受一般民眾崇拜。有次在山林中採藥，一位樵夫看見他那飄逸的身影竟然以爲是仙人下凡。正因如此，魏國宗室急著把女兒嫁給嵇康。

嵇康曾擔任過短期的中散大夫，對工作沒有興趣，也不願盡力。不久，隱居山林，與阮籍、劉伶等結爲好友。嵇康也喝酒，更喜服藥，當時人喜歡服食長生不老的丹藥，丹藥中有鉛和砷，或許是鉛中毒吧，所以會變得愈來愈疏懶。

竹林七賢表面上看不起俗物、禮教，好談玄妙虛幻的道理。其實，多半對名利非常嚮往，不多時，竹林七賢之一的山濤，首先逃離了隱士生活，靠著與司馬昭有表親的關係，攀上了高位，而且一再升遷，他並推薦嵇康繼任自己原來的職位。

嵇康寫了一封信與山濤絕交，這是一篇極爲有名的文章，說明他野性難改，不耐流俗。他說：『我幼年喪父，因爲母親嬌慣，沒讀什麼經書，

性情疏懶，肌肉弛緩，經常半個月不洗臉，非到癢得難受，絕不沐浴；連上廁所也懶得去，一直忍著，非到尿要脹出來，我不起床……除非你我有深仇大恨，你不要拉我去做官。』信中並對官場大大諷刺一番。

山濤一向看不起做官的，自己當了官，處處不負責任，表示『仍然不稀罕此職位』。山濤後來擔任選拔人才的職務，也就是向皇帝推薦某人任某一職位。每一回有一個官出缺了，山濤就擬了十幾個人讓晉武帝司馬炎選，先試探晉武帝的意思，然後再上奏。

晉武帝不了解外情，挑中的人經常不是衆望所歸的優秀人才。一般人不清楚，以爲山濤很走紅，他說誰好，誰便可以出頭，哪個人得罪了山濤，也就堵住了自己的官路，對山濤十分巴結。山濤也就大大方方收取賄款。

山濤還有一個本領——以退爲進。每次升官，他就苦苦上表，說自己『老了、病了，實在不能再做了。』逼得武帝又用更高的職位挽留他。然後山濤再假惺惺的故意謙讓一番，才『勉勉強強』去上任。

讓我們再回過頭來看嵇康。

嵇康因爲家貧，以鍛鐵維持生計。他家門口有一棵大樹，十分陰涼。嵇康常與向秀（也是竹林七賢之一）在樹下敲敲打打。

此時，大將軍鍾會正春風得意。他撰了一篇文章，自以爲見解獨到，因仰慕嵇康之名，特別懷揣著新作，邀集了賢士名人來拜訪嵇康。

嵇康正和向秀在鏗鏗鏘鏘的打鐵，看到鍾會來了，連招呼都不打，依舊埋頭的打著。

嵇康與向秀兩人說說笑笑，彷彿沒見到鍾會一般。

鍾會在帶來的名士前丟盡了顏面，臉孔脹得通紅，氣得拔脚要走。

『待會兒，』嵇康叫住了鍾會：『你聽到什麼而來？看到什麼而去？』

『我聽到所聽的而來，看到所看的而去。』鍾會氣憤的回答。

回去以後，鍾會立刻在司馬昭面前參了一本，說嵇康言論放蕩，有害社會風俗教化，這種人不該留著，於是，司馬昭下令把嵇康處死了。

嵇康的朋友向秀恐怕受到牽累，膽戰心驚。正好地方上要推舉人才，素來鄙視官場的向秀急忙去應徵，到達了京城洛陽。

司馬昭看到向秀來了，笑著諷刺道：『聽說你有箕山之志，你怎麼來了？』

向秀回答：『像許由、巢父那種人，不了解堯、舜安邦治國的苦心，哪值得羨慕？』

許由、巢父是堯舜時代的隱士，許由聽到要他做官的消息，就到河邊洗耳朵，說：『別讓這些話沾汙了我的耳朵。』巢父爲了逃避官場，乾脆住在樹上，這兩人隱居在箕山，所以後代用『箕山之志』，代表隱居。竹林七賢自命爲隱士，所以司馬昭用箕山之志譏刺他。而向秀也居然好意思自打耳光，難怪後來官做到了散騎常侍。

可見得竹林七賢故作瀟灑，爲的是沽名釣譽，口中批評官場，卻又厚顏無恥去求官，一旦當上了官，還是拿『玄虛』爲幌子，不肯好好做事，甚且想盡辦法拿紅包。

竹林七賢這批人代表的人生觀，表面上看來清高脫俗，其實只是自我麻醉，而且造成魏晉南北朝的糜爛風氣。

閱讀心得

【第145篇】

王戎與李樹。

竹林七賢七個人已講了六個，這回要說最後一個人——王戎的故事。

王戎小時候非常聰穎，悟性極高，他有一個本領，面對著灼灼的太陽光，眼睛不會眨，也不會瞇起來，有人形容王戎的眼睛燦爛有如閃電。

當王戎六、七歲的時候，膽量已經很大，一天，在宣武場觀雜戲，看得有趣，大夥都走近瞧瞧，忽然老虎在檻中發起威來，大聲的一吼，聲震天地，嚇得人們抱著頭轉身就跑，只有王戎直直站在原地不動，神色自若，魏明帝在閣裡看到驚奇萬分，直誇：『這個小孩子眞勇敢。』

他不但膽量大，而且反應機靈。

一天，王戎和幾個小朋友上街玩耍，發現道旁有一株李樹，果實纍纍，一個個鮮豔欲滴，又大又紅，大家口水都要掉下來了，小朋友們一擁而上，爭先恐後爬上樹去。

『咦，王戎快來啊！』小朋友發現王戎竟然沒跟上來，覺得好奇怪。

『別去了吧，這些李子都是苦的。』王戎搖搖頭道。

『哪有這種事，我不信！』一個饞嘴的小胖子搶先爬上樹，摘下一個大的就咬，『哇！呸呸！』小胖子不斷的吐著口水，生氣的埋怨著：『從來沒有吃過這麼難吃的李子，不但苦而且酸得要命。』

一羣人垂頭喪氣的爬下樹，奇怪的問王戎：『你又沒有嘗過，怎麼知道李子是苦的呢？』

『這個嘛，很容易。』王戎從容不迫的回答：『你們想想看，李樹長在道旁，又沒有人管理，如果又香又甜，不早被摘光了，哪還剩下這麼多？』大家聽了都很欽佩王戎的觀察力。

王戎長大了，與阮籍等六人成爲好朋友，號爲竹林七賢，很受社會人士的崇敬。

竹林七賢的作風是，官是要做的，責任卻是不願意負的。王戎也不例外，他歷任吏部黃門郎、散騎常侍、河東太守、中書令等高官，卻沒有爲民造福的意願。

竹林七賢標榜『隱士』，認爲不做官，隱居山林固然是『隱』，就是在朝廷也可以做隱士，王戎後來做到了司徒，雖然職位很高，他卻把所有的事交給手下的幕僚。時常偷偷騎著小馬，從邊門悄悄溜出去玩兒，見到的人都不知道他是司徒，也沒有想到本來應該忙得不可開交的司徒，竟然會在路上閒逛。

王戎十分貪財，廣收八方田園，竭盡所能的攢錢，每天晚上，王戎自己拿著牙籤（用象牙製成計算錢財的工具），對著帳簿，仔仔細細的核對，財源滾滾而來，王戎還是不滿意，爲人吝嗇小氣萬分，人家都說他是財迷心竅，病入膏肓了。

王戎的女兒嫁給裴頠，裴頠曾向岳父借過數萬銀錢，一直沒有還，王戎每次想起這件事就像心裡掉了一塊肉般難受。

他女兒回娘家，上堂去稟見王戎。

『爹，女兒回來了。』

『哼！』王戎扭過臉去，彷彿沒看見人似的踱著方步走開了。

王戎的女兒很清楚她父親的脾氣，急急忙忙把欠債全部還出，看到了錢，王戎的氣也消了，父女和好如初。

王戎有個姪子快要結婚了，這次他倒很大方，送了一件小小的單衣爲賀禮。但是姪子完婚後，王戎竟然把姪子罵了一頓，把單衣要了回來。

更叫人啼笑皆非的是王家有一株李樹，結出的李子皮薄汁多，甜美無比，王戎把它當寶貝，很捨不得吃。

一天，王戎靈機一動：『何不拿去賣錢？』主意打定，他就開始忙著摘果子。

摘了一半，王戎突然想到：『不好，我的李子是難得一見的好李，若被人買了去，用核栽植，豈不白白便宜了人家？不好，不好。』

不賣，恐怕李子都爛掉了，損失了金錢。

賣掉，又惟恐旁人得了好的李樹。

王戎煩惱極了，最後，他竟想出一個妙法，先把李子中的核剔除，再加以出售，他也不嫌麻煩，拿著鑽子一個一個的挑果核。

買了王家李子的人都好生奇怪，怎麼這些李子竟沒有核，等到打聽清楚以後，不免啼笑皆非，都說沒看過如此小氣的人。

閱讀心得

【第146篇】李密孝順祖母。

司馬昭想要篡位，自立爲皇帝，他的野心是當時人所共知，這便是成語『司馬昭之心，路人皆知』的由來。

等到司馬昭滅了蜀國，把劉備不成材的兒子——阿斗俘虜以後，司馬氏的大權已經穩固。司馬懿死後，把權位傳給兒子司馬師。不久，司馬師去世，權位由弟弟司馬昭接管。當司馬昭去世，權位又傳給兒子司馬炎，司馬炎一掌權，立刻就逼著魏元帝讓位，搬出皇宮，自立爲帝，改國號爲晉，是爲晉武帝。

晉武帝即位後的第二年，立楊氏爲皇后，楊皇后美麗大方，聰明賢慧，不幸，楊皇后生下的太子——司馬衷卻癡癡呆呆，連話都說不清楚，很讓武帝操心。

武帝看著司馬衷傻傻的樣子，想到將來天下要交到他手裡，實在不放心，便和楊皇后商量：『怎麼辦呢？不如另立太子。』

『不好。』楊皇后不贊成：『自古以來，立太子都是立長子，而不是立賢子，太子雖然不賢，然而名位已定，不可動搖。』

楊皇后說得也有道理，武帝只好打消了廢太子的念頭。這個太子正是日後的晉惠帝，也是中國歷史上有名的笨皇帝，他可笑的事很多，以後我

們會講到。

既然太子換不成，武帝就積極爲太子物色老師，希望能在良師的輔導下，化腐朽爲神奇。

於是，武帝立刻下令徵召犍爲人李密爲太子洗馬（洗馬是自漢代就有的官名，太子外出時走在軍隊的最前面，晉朝以後掌管圖書）。當大隊人馬不遠千里趕到了犍爲郡，傳達了這個天大的光榮，李密卻滿臉哀愁，似乎有說不出的苦惱。

李密何以如此不識好歹？這要從頭說起：

原來李密有一個極爲悲慘的童年，他生下來，只有四個月大時，父親就過世了；家裡的環境很壞，到了四歲時，舅舅又逼著母親改嫁，只剩下他一個人孤苦伶仃。

營養不良加上又受到刺激，不久他生病了，而且病得很厲害，日夜啼哭吵著要媽媽。李密的祖母看他可憐，心裡不忍，因此雖然年事已高，體力已衰，仍然收留了李密，由於先天體質虛弱，一直到了九歲，他才會走路。

祖母本人的身體也不硬朗，每逢祖母生病，李密總是流著眼淚在病榻旁伺候，照顧得無微不至，只要祖母的病一天沒有好轉，李密就一天不肯上床睡覺，祖孫二人相依爲命，感情好得不能再好。

李密的學問不錯，而且善於辯論，曾在蜀國做到尚書郎，又曾以外交官的身分奉派到吳國，表現傑出，在江南一帶享有盛名。蜀國亡後，李密隱居在家鄉，招收門徒傳授學問外，其餘的時間都在伺候祖母。

不料，突然接到了朝廷的詔書，李密相當為難。不說別的，單以他是個蜀國的舊臣，已一千個、一萬個不想當晉朝的官，何況親愛的祖母又染上了重病，隨時都有生命危險，更不願赴京（洛陽）為官了。因此，李密總是一拖再拖，遲遲不肯動身。

但是，使者哪裡肯放過他，看到李密一再延緩，臉色就不好看了，天天上門來催：『還請早些上路吧，免得我們為難，況且去當太子洗馬又不是壞事，你怎麼……』說著，白眼掃了過來，大有指責『不識抬舉』的意思。

李密只好打躬作揖，連連道歉，但他也知道事情是拖不下去了，等到武帝怪罪下來，全家都難逃厄運，可是，撇下祖母遠走京城，萬一祖母有個三長兩短，想到這裡，李密的背脊一陣又一陣的發涼。

李密背著手在房間裡轉來轉去，想不出任何辦法，於是抹乾眼淚，向武帝上了一個陳情表。在陳情表的文中，李密敘述了自己坎坷的童年遭遇，祖母病危的情形；最後婉轉的請求『臣沒有祖母，活不到今天，祖母沒有我，也沒法度過晚年，我們祖孫二人，相依爲命，我實在不能離開祖母啊，我今年四十四歲，祖母今年已九六高齡，我報答陛下的日子還很長，報養祖母的日子沒有幾天了，我這個像烏鴉般反哺報恩的心情，希望陛下成全。』

晉武帝看了李密的陳情表相當感動，特別准許李密等到祖母歸天以後才到朝廷上任，並且賜給李密兩名女婢幫忙伺候祖母，因此，當李密的祖母去世後，他縱使滿心不願，也不得不上任。

後來，李密被選爲漢中太守，臨上任前，武帝命他賦詩助興，誰想到李密竟然坦白的寫出『官中無人，不如歸田』，意思是說，朝廷裡沒有人才，我還不如回家去耕田。這等於是在罵皇帝無能，武帝看了十分生氣，不久李密被免職回鄉。成全了他盡忠蜀國的心願，果然『忠臣出於孝子之門』。

李密的這篇陳情表，文字淺顯，一字一句從肺腑中流出，使人看了忍不住要掉眼淚，難怪有人說：『讀諸葛亮的出師表不哭的人是不忠，讀李密的陳情表不哭的人是不孝。』

閱讀心得

【第147篇】不講理的孫皓。

魏、蜀、吳三國之中，蜀國的阿斗向魏國投了降，魏又被晉所篡，剩下的吳國如何呢？

在晉武帝司馬炎篡位的前一年，吳景帝去世，本來應該傳位給太子，可是太子年齡太小，蜀國剛剛被滅，東南又有亂事，大臣們商議的結果，非要迎立一位有爲的君主才能穩住局勢。

於是，有位大臣提出了孫皓，誇獎這位孫權的孫子有才識，有判斷力，聰明好學，奉守法度。就這樣，二十三歲的孫皓正式繼位爲吳帝。

哪兒曉得孫皓即位以後，貪酒好色，驕傲粗暴，朝廷上下都失望極了。

一次，孫皓舉行宴會，歡迎自晉回國的使者。這天，孫皓的興致很高，傳下命令：『百官必須盡飲爲歡。』許多沒有酒量的官員都暗暗叫苦，卻也不敢違抗旨意。

其中有位散騎常侍王蕃一向嚴肅拘謹，不善飲酒，才飲了數盅，立刻滿臉通紅，走了沒有兩步路，『叭』的一聲跌倒在地，醉得不省人事。

『掃興，掃興！』

孫皓看了，頗爲不悅，大聲叫道：『把他給我抬出去。』

王蕃被侍衛七手八脚的抬出殿外，室外涼風習習，空氣清新，沒多久，

王蕃悠悠的張開了眼睛，想起剛才在大殿前出醜，慌慌張張站了起來，一邊扶正衣帽，一邊往殿裡面衝。

王蕃一向是個循規蹈矩的正人君子，不免對自己的失態懊惱萬分。因此特別打起精神，從容不迫的重新與人寒暄應酬。

孫皓轉眼一看到了王蕃竟然好端端的與人談天，心頭之火熊熊燃起，他認爲王蕃方才一定是故意裝癡賣傻，藉酒裝瘋，欺君之罪豈可輕易放過？倒楣的王蕃就餵了野狼。

孫皓除了脾氣奇壞，還有一個毛病——不許別人看他，一看他就要治罪。

因此上朝的時候，文武百官個個低著頭，專心看著脚尖，沒有人膽敢仰起腦袋，除非不要腦袋了。

陸抗是吳國的大將軍，允文允武，爲吳國立下了許多汗馬功勞，他對孫皓不許臣子們注視不以爲然，寫了一篇奏章呈給孫皓：『古今哪兒有君臣不許相視的道理？如此則臣子不曉得誰是天子，萬一有一天，君主發生不測，臣子到底該救什麼人呢？』

孫皓因此下詔，陸抗上朝可以上視天子，別人還是只許看脚尖。

他雖然不喜歡臣子們注視，卻喜歡偷偷窺視臣子們的一言一行。

所以在朝廷上，他派了十名小宦官分立左右，瞪著眼觀察每一位臣子的舉動，稱之爲『司過』。

『司過』對文武百官眞是一種酷刑，試想，穿著朝服大袍，一動也不能動，又得當心不要把頭抬起來，以免不小心看到孫皓已經夠受罪了，身旁還有虎視眈眈的太監等著在朝會後，祕密報告孫皓，只要有一點可疑，抽筋、剝皮、拔舌就隨孫皓的高興了。因此人人上朝心裡頭就在打鼓。

『探人隱私』是最要不得的行爲，孫皓對此興趣頂濃，他很喜歡在宴會上玩這種遊戲，逼著甲大臣說出乙大臣的醜事，丙大臣透露乙大臣見不得人的祕密，然後，仰天大笑：『有趣，有趣！』把臣子們弄得尷尬萬分，窘態百出。

後來，晉武帝發兵南下，幸而陸抗大將軍運用奇兵才轉危爲安，孫皓卻十分自得，自以爲有天助，更加荒淫無道，終於在咸寧六年，被晉軍攻入，孫皓投降，吳國正式滅亡，享國五十七年，三國結束，晉朝統一了全國。

說到這兒，我們發現一個問題，中國古代君主專制政體，很容易走向君主獨裁暴虐的路子，但是歷史上像孫皓般暴虐的君主並不多見，而且都逃不了被人民推翻的命運。爲什麼？

因爲中國古代對政治有大同世界的理想，大同世界的理想像燈塔般照耀著君臣們，使實際政治朝向燈塔努力，所以再壞的君主也知道自己行爲不合理。更有許多忠臣，寧肯冒著一死也要上諫皇帝，中國人有這種爲理想而犧牲性命的精神，這是古代政治不致過分專制之因，也是我們的寶貴資產——中國讀書人的風骨。

閱讀心得

【第148篇】墮淚碑的故事。

在上一回『不講理的孫皓』中說到，吳國傳到最後一位君主——孫皓，荒淫無道，終於被晉所滅，今天就要講滅吳名將——羊祜的故事。

羊祜是漢末大學問家蔡邕的外孫，書香門第，從小就博學能文，安貧樂道，有人讚美他是『當代的顏子』，顏子指的是孔子的大弟子——顏淵。

長大以後，羊祜在晉爲官，泰始五年，被派到荊州管理軍務，到了荊州一看，糟糕，軍隊裡的糧食不夠一百天食用了，而一開戰，糧運中斷經常是最大的問題，於是，羊祜下令『撥一半巡邏兵去開墾荒田』。

到了第三年，整整開墾了八百頃荒田，足足存了十年的糧食，羊祜又在荊州地方辦學校，很得當地人民的敬重。羊祜雖然官拜大將軍，平常不穿戎裝，總是一襲寬寬的儒衣，繫上一條輕緩緩的帶子，看來有說不出的舒服，他的人又是那麼溫文儒雅，因此人人都說羊將軍倒像是個書生。

雖然看起來文雅，打起仗來可不含糊，羊祜和吳國的大將陸抗，被人比喻爲諸葛亮與周瑜。

由於兩名大將都很厲害，誰也沒法把誰打敗，於是兩人改採穩紮穩打的辦法，對峙在襄陽一帶。羊祜首先決定用以德服人的方法。

每次羊祜與吳人交戰，約定哪天交兵就是哪天，絕對不誘敵，也不偷

襲，有兵士建議『我們不如早一天出襲，殺得他措手不及。』羊祜說：『不可以。』然後用烈酒把那位兵士灌醉，免得兵士到處亂說。

羊祜的軍隊偶然進入了吳國境內，順手偷割了不少稻穀，羊祜知道了，大爲不悅，已經割下來的稻子也接不回去，因此他算算約值多少錢趕緊賠給人家。甚且雙方兵士出外打獵，擒到的野獸，如果是吳國兵士先射的箭，羊祜一定命令送回吳人。晉兵雖然心頭捨不得，也只好聽從羊祜的囑咐。

陸抗曾派人送來自釀的美酒，羊祜喝了一個痛快，旁邊的兵士倒捏了一把冷汗。後來陸抗得了疾病，羊祜命人送來良藥，陸抗也馬上煎來服用，左右都反對，惟恐藥中有毒，陸抗不以爲然道：『羊祜哪裡是會下毒的人呢？』果然，不久病癒。

送敵將治病的良藥，這似乎不可思議，其實陸抗與羊祜是在比『德政』，比賽誰的道德更高，以贏得民心，這是中國戰爭史上一段難得的佳話，可惜以後很少看到。

羊祜有一個習慣，閱過的文件立刻焚毀，絕不外流，對公事守口如瓶，別人不論如何套他的話，他絕對不透露半個字。羊祜平生推薦的人很多，他從來沒有告訴對方是自己推薦的，當然也不期望被推薦的人有所報答。

羊祜與陸抗的『德政』，境界太高，吳國君主孫皓不能了解，當他聽說陸抗竟然送酒給敵人喝，氣得暴跳如雷，大罵『混帳』，自作主張發動攻擊，次次大敗，陸抗就憂鬱而死。沒有多久，羊祜也病倒了，晉武帝來看他，羊祜有氣無力的說：『現在孫皓暴虐無道，此時發動攻擊，可以不戰而勝，如果孫皓不幸死了，吳人另外擁了新主，那時就不容易了。』

晉武帝聽從了羊祜的話，展開猛厲的攻勢，果然孫皓一下子就被擊潰俘虜。

咸寧四年冬天，羊祜去世，當他的死訊傳到了荊州，荊州一片哭聲，不但晉軍哭，連吳軍也痛哭流涕，老百姓沒有心情做生意了，索性關上門，家家户户都似乎在辦喪事。由於羊祜平日喜歡登峴山，後來襄陽人士，就在峴山建造了一座巍峨的紀念碑，碑旁蓋了一個廟，以紀念這位受人愛戴的大將軍。襄陽人每次登山見碑，無不哭得滿臉淚痕，因此稱之爲墮淚碑，一直到唐朝這項風俗仍流傳不息，大詩人孟浩然有一首『與諸子登峴山詩』，其中說道：『羊公碑尚在，讀罷淚沾巾。』意思是說，羊公碑還豎立在那兒，我讀完碑上紀念的文字，哭得眼淚溼透了手巾。

從墮淚碑的故事，我們可以發現中國人愛好和平，中國人所崇拜的英雄都是有學問有道德的君子，中國人瞧不起只會鬥狠侵略的莽夫，這也是中國文化了不起的地方。

閱讀心得

【第149篇】美男子潘岳。

在前面講『竹林七賢』時，曾提到當時的人，很重視容貌，到了晉朝，這種愛美的風氣日漸盛行。

依據晉朝人的審美標準，男子的美並不是雄赳赳、氣昂昂、仰首伸眉的陽剛之美。而是白白嫩嫩、弱不禁風的病態美，有的男人還搽起粉來，眞可謂娘娘腔，其中潘岳正是一個世所公認的美男子。

潘岳的臉蛋十分俊俏，眼睛特別明亮，說話嬌聲嬌氣，走路扭扭揑揑，非常矯揉造作，充滿了女人味道，晉朝的人迷他迷得要死，尤其是婦女一聽到『潘郎』二字骨頭都酥軟了，魂兒都出了竅！

潘岳每回在洛陽上街，坐在車上，手上總挾著一個彈弓，那個模樣既瀟灑又英俊，婦女們簡直為之瘋狂，愈聚愈多，紛紛靠攏來看心目中的『白馬王子』，到了後來，竟然手牽著手，圍成一個圓圈兒，不讓馬車通行，以便好好看一個仔細。

除了看以外，這些婦女們爲了表達心中的愛慕之情，總是準備了許多水果，遠遠看到潘岳的車來了，就拿起水果紛紛往車裡扔，因此，潘岳每回上街，無不滿載水果而歸，他自己也爲此得意萬分！

另外有一個人叫張載，容貌極爲醜陋；大暴牙、凸眼睛，既黑又矮，

教人看了，作嘔三日，他每回出去，婦女都掩面而過，不但如此，小孩子們還拿著瓦石，一路追打『這麼難看還成嗎？打死算了！』所以可憐的張載次次上街，都是落荒而逃。天下竟有如此不講理之事？

潘岳除了容貌長得漂亮，他筆下辭藻更是美麗，尤其擅長爲死人寫追悼的哀誄文。但是人美心不美，此人品德極差，熱中富貴，是個拍馬屁的能手。晉武帝司馬炎在泰始年間曾親自下田，司馬炎並不是一個好皇帝，偶爾下田只是裝模作樣，表示皇帝重視農業而已，潘岳卻以此爲題，寫了一篇賦，吹噓捧拍了一番。

此篇歌功頌德的大作雖寫得文情並茂，贏得了『才名冠世』的榮耀，卻使得朝中大臣嫉恨不已，又不齒潘岳的爲人，加以排擠，所以十年之中，他都沒法巴結到一個小官。

後來，總算讓潘岳勉強擠上一個小官位，他心裡非常不滿意，於是和石崇等人結爲二十四友，專門逢迎賈謐。

賈謐是何許人？原來是晉惠帝的皇后賈后的哥哥，當時惠帝無能，大權都握在賈家兄妹手中，所以潘岳和以豪俊出名的石崇動了賈謐的腦筋。

爲了拍馬屁，以潘岳爲首等一千人，每次聽說賈謐要外出，預先守候在道旁，遠遠看到車子來了立刻跪下去，等到馬車『滴答、滴答』一路衝來，立刻迎著馬蹄揚起的灰塵，恭恭敬敬在道旁磕頭，一向最愛乾淨的美男子如今也顧不得骯髒了。

潘岳的母親看到他撅著屁股，望塵下拜的醜態實在噁心，屢次勸他『你其實用不著像奴才一般巴結賈謐。』潘岳不聽，他有把握的說：『這一跪下去，將來的榮華富貴就不用愁了。』

可惜，事與願違，潘岳如此低聲下氣的結果，並沒有平步青雲，因此他就寫了一篇『閒居賦』，嘆自己的無能，閒居在家。到了後代，我們常用『賦閒』二字代表一個人失去職業，沒事做。

俗話說：『偷雞不著蝕把米。』潘岳正是如此，拍賈謐的馬屁拍了半天，一點兒好處也沒有，不久，發生了『八王之亂』，等到趙王司馬倫篡位以後，殺掉賈謐，潘岳也因此連帶獲罪，加上了謀反的罪名，他非常後悔，連連說：『我辜負了母親，我辜負了母親。』

到了刑場一看，他的老朋友石崇也五花大綁跪在地上，石崇說：『咦，怎麼你也來了？』潘岳搖搖頭，一顆淚珠滾了下來道：『這才是白首同所歸。』

原來，潘岳曾寫了一首詩諂媚石崇，其中有一句『白首同所歸』，形容他倆友情堅固，『到了年紀大了，死也要死在一起。』果然一語成讖，兩人死在一起。

說到這兒，我們發現一件有趣的事，在中國歷史上，審美標準象徵國運盛衰，像晉朝、宋朝標榜文弱，國勢也一蹶不振。漢朝、唐朝講究雄健之美，國威遠播。我們現在國內有些男人喜歡做女人打扮，頭髮留得長長的，衣著打扮，舉止神態，處處模仿女人，實在不是一種好現象。

閱讀心得

【第150篇】

針灸專家皇甫謐。

近年來，中國傳統的醫術——針灸大行其道，尤其它竟然可以代替開刀前的麻醉，很受國際醫學界的重視，皇甫謐正是我國歷史上一位傑出的針灸專家。

皇甫謐的曾祖父——皇甫嵩是東漢末年攻打黃巾賊的名將，曾經做到了冀州牧，傳到皇甫謐時，家道中落，由叔父撫養長大，窮得連買米的錢都成問題。

他小的時候不知學好，一直到了二十歲依然成天遊遊蕩蕩，鄰居的小孩時常捉弄他，嘲笑他是個敗家子，皇甫謐也不在意，扮個鬼臉又去玩兒了，因此左鄰右舍常譏諷他，恐怕是個癡兒。

雖然喜歡遊蕩，皇甫謐倒還是個孝子。有一天，他偶爾得到一點瓜果，急忙捧回去孝敬叔母任氏，因爲跑得太急，到門口時還摔了一大跤。

當皇甫謐滿臉欣喜獻上瓜果，興奮的說：『嘗嘗看，您從來沒有吃過這麼甜的喔。』任氏的臉一沉，正眼也不瞧，傷心的說：『哎，你就是把牛、羊、豬三牲全搬了來，還是沒有用，還是不孝順。』說著，說著，任氏的眼淚一滴滴的流下。

滿心討好，卻挨了一頓罵，皇甫謐懊惱極了，也委屈極了，眼淚撲簌

經脈穴道圖

簌的流下。這一哭，卻把皇甫謐哭醒了，覺悟到一個人必須有能力才能受到尊敬。

於是，從來不肯摸書本的皇甫謐開始拜鄉人席坦爲師，因爲家裡窮，繳不起學費，只好半工半讀，一邊讀書、一邊種田。

這一讀，竟然讀出了興味來，發現書本中的許多道理都是以前沒有看過、沒有想過的，値得好好的研究。每次耕田耕得累了，抽出一點空檔，他就迫不及待掏出書本，愉快的吟哦著，臉上浮著滿意的笑容。

『皇甫謐。』鄰家的伯伯走過來叫他，皇甫謐一心一意在書本中，充耳不聞；『皇甫謐。』伯伯狠狠拍了他一下肩：『怎麼，沒聽見？』

皇甫謐『哦』的一下，抬起頭來連忙道歉：『對不起，對不起，有什麼事嗎？』話沒講完，眼睛又溜回書本了，似乎書對他有無比的吸引力。伯伯看著他，嘆口氣走了，因爲他太愛看書，鄰居們給他一個外號——『書淫』。

『書淫』早也看書，晚也看書，連睡覺、吃飯的時間都捨不得，有人勸他：『你這樣消耗精神會傷身體的。』皇甫謐也不管，笑著回答：『孔子說，一個人早上得道，懂得道理，晚上死了也甘心（朝聞道，夕死可矣），況且壽命長短本是天意！』

經過了十年的苦讀，皇甫謐已成爲遠近馳名的大學者，連晉武帝司馬炎都久仰大名，派人請他到朝廷爲官。皇甫謐上了一個奏章，婉謝武帝的好意，說明自己志在研究學問報効國家，並且請求皇帝把宮廷裡收藏的書借給他。

武帝倒也不為難皇甫謐，賜了一車的書送他看，皇甫謐如獲至寶，看得更起勁了，自號為玄晏先生，過著隱士般的生活。

或許是讀書太用功了吧，皇甫謐在四十歲左右就得了痺溼症（中風），半身不遂，耳朵又重聽，痛苦萬分，先是服寒食散，藥性不合，總是醫不好。

俗話說得好，久病厭世，病久了，心情日漸灰暗，每次病發，皇甫謐都是又悲哀，又煩躁，難過得直掉眼淚。

『算了，算了，還活著幹什麼，長痛不如短痛，不如早死早好！』皇甫謐一時想不開，拿起利刄就往脖子上抹，幸虧他的叔母看到，急忙奔來一把搶過利刃：『你這是幹什麼？』阻止他自殺。

後來，皇甫謐遇到一位醫師，醫術高超，而且醫德很好，極有耐性，從不發脾氣，總是和顏悅色爲他治療，皇甫謐感動得不得了，不知如何報答。

由於身受其苦，皇甫謐深深了解一個人生病時身心的煎熬，引發了他對醫學的興趣，從此鑽研醫書，他對針灸——一種中國古傳，按經脈用針刺，或是用艾葉熏灸的治病術大感好奇。原來人體中有許多穴道，針刺下去竟不會鮮血直流，也不會痛，而且能治病，簡直妙透了，皇甫謐就以自己的病爲臨床，寫出了許多心得，是爲《甲乙經》。

甲乙經是中國針灸術的寶典，書中記載了針灸的理論、經穴的正確部位、操作的方法等，是中國歷史上最偉大的針灸專書。

閱讀心得

【第151篇】

周處除三害。

周處原是魏晉時代義興地方上的惡霸，好勇鬥狠，臂力驚人，他很小的時候父親就去世了，家境並不差，但不務正業，每當周處大搖大擺的往街心一站，人們趕快縮著頭急急避開，連商店也不聲不響掩上了門。

他最喜歡騎著快馬在原野上馳騁，經常爲了追逐野兔，踐踏良田，破壞了收成，如果誰向他索取賠償，周處兩脚一分，怒聲一吼：『你說什麼？』嚇得老實的農人回頭就跑，因此，誰也不敢接近這個魔王。

在義興地方，有些母親哄孩子哭便嚇道：『周處來了！』小孩子一聽到周處兩個字，彷彿見到了鬼一般，大氣也不敢出。周處對此得意萬分，認爲自己乃天下第一英雄也。

一天，周處打完了架，把個不自量力的傢伙摔在地上以後，信步走向街頭，看到有個白頭髮的老公公正在長長的嘆氣：『哎，我們義興縣好苦啊！』

『怎麼會呢？』周處奇怪的問：『義興縣物產富饒，今年收成又好，苦什麼？苦個屁！』

老頭慢慢的一搖頭道：『啊，年輕人你不曉得，我們義興縣出了三害，就是收成再好，也快樂不起來。』

『有這種事！』周處搬了一塊石頭坐下，很有興趣的問著：『哪三害啊？』

『嗯，第一害是南山有個白額頭的老虎，第二害是長橋底下的大蛟，時常危害百姓的生命，第三害嘛，第三害不是牲畜，是……』老公公嚥了一口口水，很吃力的說：『是，是一個人，比猛虎、大蛟還要恐怖。』

『是誰？待我教訓教訓他。』周處說著掄起了拳頭，擺出一個要揍人的姿勢：『快說啊。』

『我不敢說。說了我會沒命。』老公公說。

『有我在，誰敢欺侮你？你說那第三害的人是誰，我保證你的安全。』周處大聲吼道。

『好，好，我說。』老公公東張西望，看看四周沒有人，才對周處說：『他名叫周處。』

『什麼？』周處聽到老公公說第三害竟是自己，就像雷擊一樣，呆住了，動也不動。

『你也害怕了吧！』老公公拍拍周處的肩膀，安慰著：『別怕，沒有人知道，我也不會說出去。』

周處很痛苦地搖著頭，老公公詫異地問：『你怎麼了？』

『沒事。』周處做了幾次深呼吸，慢慢地鎮定下來。

『請問你貴姓大名？』老公公和藹地問。

『我……』周處幾乎說不出話來，他用從來沒有過的細微聲音，低著頭說：『我就是周處。』

『哎呀！壯士饒命呀！』老公公臉色蒼白，雙膝一軟就跪了下去：『是我多嘴，請壯士開恩饒命！』

周處只覺得遭到了電擊，腦袋嗡嗡作響，他一直以爲人家怕他，是尊敬他，把他當英雄崇拜，沒想到自己竟和猛虎、大蛟般討人厭。

『請快起來。』周處輕輕一提，就把老公公扶了起來，他握住了老公公的手，羞愧地說：『謝謝你告訴我，我一點兒也不怪你，我從小沒有父母，家裏有幾個錢，却沒有好好受過教育，也沒有人告訴我怎麼做人，我只覺得別人怕我，我就很神氣，自己好像是個英雄。』

『英雄？』老公公神情嚴肅地對周處說：『年輕人，你錯了，英雄是要爲國家社會做有益的事，讓大家尊敬你。如果逞強好鬥、仗勢欺人，讓大家怕你，那不是英雄，那是社會的害蟲。』

『我從來沒有想到這些，我也有羞恥之心，我不願意成爲三害之一，我一定要讓大家改變對我的看法。』

於是，周處提起了弓箭，走向了南山，一箭射去，剛好射中了猛虎白色的前額，然後把死老虎拖下山來，放在大街展覽，讓人們知道一害已除。

周處拍一拍手，脫去上衣，帶著鋼刀，縱身一跳，跳下長橋。龐大兇悍的水怪——巨蛟相當厲害，張著銳利的鋼牙撲向周處，周處一偏身，巨蛟撲了個空，憤怒的再向周處襲來，這一場生死之鬥足足拚了三天三夜，長橋下的河水一片鮮紅，人們猜想一定是同歸於盡了，歡呼叫好聲不絕耳。

當周處滿身傷痕從水中爬上來，遠遠聽到有人高叫：『三害已除，周處已死，萬歲。』周處心中難過極了，他頹喪的倒了下來，一遍又一遍的想著：『我拚了性命爲百姓除害，卻換來了百姓爲我死而慶賀，這算什麼呢？』如果在以前，他早就提著大刀，把這些忘恩負義的混蛋殺個精光，但現在，周處只覺得渾身乏力，只想痛哭一場。

『別難過，年輕人。』不知何時老公公又走到周處身旁：『原諒他們吧，他們不了解你的苦心，眞正的英雄是爲自己負責的，義興的父老對你的成見太深，你還是離開吧。』

周處望著老公公歎了一口氣說道：『老先生，我不會和他們計較，這是我以前做壞事的報應。不過，看這種情形，我不能留在義興了。』

『離開義興也好。』老公公站了起來，拍一拍周處的肩膀：『不過，年輕人，你千萬不要氣餒，不要消沉，你還年輕，努力求學，好好做人。你要記住，一個被人人害怕的人不是英雄，一個受人尊敬的人才是英雄。』

『謝謝你，老先生，我會永遠記住你的話。』周處用感激的眼光看著老公公，深深地作了一個揖，邁開大步走向城外。

雖然起步遲了一些，但勤能補拙，幾年下來，周處竟成爲一位知名的學者，而且受了書本的薰陶，再也不是當年兇狠的流氓了。

不久，周處被任命爲新平太守，新平是邊疆地區，有許多羌人，他恩威並用，軟硬兼施使百姓心悅誠服，又撿郊外無主的死人骸骨加以埋葬，當年殺人不眨眼的魔王變成了菩薩心腸。以後，外族酋長齊萬年作亂，朝廷臣子厭惡周處過分正直，建議周處去討伐，周處以五千兵馬，力戰七萬敵軍，終於寡不敵衆，壯烈成仁。

周處除了武功高強，還寫了默語三十篇及風土記，並且撰輯吳書，這是很少人知道的。一個惡霸地頭蛇，轉變爲允文允武的國家棟樑，可見得『放下屠刀，立地成佛。』不是做不到的事。

閱讀心得

【第152篇】

晉武帝君臣生活腐化。

在中國歷史上，開國創業帝王都是勵精圖治的君主，才能推翻前一個朝代，建立一個新的政權。同時因爲他們生自民間，了解老百姓的痛苦，因此當上皇帝以後，能體恤一般大眾，例如漢朝的開國君主劉邦。不過也有開國君主是荒唐的，例如晉武帝。

晉武帝司馬炎雖說是晉朝第一個開國皇帝，然而他是繼承祖父司馬懿、伯父司馬師和父親司馬昭已建立的權勢，本人並沒有多大才能，而且是我國歷史上有名好色奢侈的帝王，因此晉朝一開國馬上出現根基不穩的現象。

武帝後宮的佳麗本來已經很多，但是他還不滿足，想要一網打盡天下美女，供他一人享受。於是在泰始九年、十年，大選嬪妃，下詔良家及小將吏女五千人入宮。

在中國古代，一般的妃嬪命運相當悽慘，雖然吃、穿、享受都是第一流的。可是住在後宮裡，冷冷清清像冰窖般，沒有親人、沒有朋友、沒有任何感情生活。而且稍不小心捲入政爭中，隨時都有殺身之禍。

凡是被挑選入宮的美女，不但她自己傷心，家裡的人更是痛心疾首。在入宮的那天，到處看見母女抱頭痛哭，那一片哭聲眞是驚天動地，使人

聽了不禁淚下。

最後，管事的在趕人了：『好了，好了，你們可以走了。』這些哀傷的母親不得不忍痛離開，個個都是紅腫著一雙眼，頻頻回頭，戀戀不捨，這一相別，很可能一輩子再也見不著女兒一面。

總共加起來，武帝後宮的佳麗近於萬人之多，一個人哪兒消受得了呢？就算他一天找一個，一年也不過三百六十五天，也只能找三百六十五個妃嬪啊！

所以大多數被選入宮的女子可能一輩子都見不到皇帝一面，只能孤孤單單老死宮中。如果皇帝能來自己的住處、相聚一夜，或許討得皇帝歡喜，皇帝就會常來，成爲皇帝的寵妃，那麼身價就不一樣了。這樣，凡是進宮的女子莫不希望皇帝有一天會臨幸自己的住處。數以萬計的美女，看得武帝眼花撩亂，各有各的風姿，每天晚上該到哪一位美女的住所去？常令晉武帝決定不下，終於，武帝想出一條妙計：

『不如叫我這隻羊兒來幫我選美人兒。』

於是，武帝閉目養神坐在羊車上，任憑羊兒在宮中亂走，走在誰的宮前，他就選中誰當玩伴，好像猜謎一般，武帝覺得好玩極了。

於是，有一個聰明的女子想出一個引誘羊兒的辦法，她知道羊兒喜歡吃嫩嫩的竹葉，於是在自己住所的附近路上插枝條。果然，羊兒就為了吃竹葉而到了這女子的住所。

不過，這一個辦法很快被其他宮人知道了，也就紛紛插起竹枝，一時之間，內宮到處是竹條，於是，用竹條引誘羊兒的辦法就失靈了。

另一個聰明的宮人又想到一個辦法，她在自己住所的路上撒了細鹽，羊兒喜歡鹹味，低著頭舔鹽，就能把羊兒引來。果然，這一招也有效，羊兒真的來了。不過，這辦法並沒有獲得專利權，別的宮人也跟著撒鹽，弄得內宮裏到處全是鹽。

武帝後宮財產豐積，室宇宏麗，廚房裡的山珍海味，奢侈浪費，那是不在話下。他的大臣們也學著講究鋪張排場，而且彼此還以『富有』互相比賽，其中王愷、石崇兩人比得最兇。王愷曾用紫紗布做了四十里長的屏障，誇耀他的富有。石崇不甘示弱，用上好的錦做了五十里長的屏障。

石崇每次請客，一道菜接著一道菜上個不完，王愷更過分，他派了許多美人勸酒，如果客人不喝一個痛快，王愷就要殺死在旁伺候的美人，爲了救人一命，王愷的客人還非縱酒醉倒不可哩！

武帝對大臣們的比賽浪費，非但不勸阻，反而湊上一腳起鬨，他比較喜歡王愷，就送王愷一株二尺高的珊瑚樹，枝葉扶疏非常漂亮。王愷很高興，自言自語道：『這是世上罕見的，待我拿去給石崇看，他看了恐怕眼珠都要掉出來喔！』

石崇一看那二尺高的珊瑚，拿起鐵如意『噹』的一下，把珊瑚敲成碎碎片片。

王愷一下看呆了，又傷心，又氣憤，厲聲的指責：『你妒忌也不可如此！』話還沒說完，石崇派人拿了四株珊瑚來，光彩耀目，紅得發亮，神氣的說：『沒什麼好遺憾的，這些還你！』果然，這幾株比武帝賜的更勝三分。

武帝面前有一個叫何曾的大臣，也是家財萬貫。何曾自家每天菜錢一萬，他吃飯時還挑剔的說：『這些菜，簡直沒有讓我下筷子的地方嘛！』可見得在上位的人，不能以身作則，下面的人一定跟著學壞，而且更壞。

因此，晉朝一開國，已隱含了重大的危機。

閱讀心得

【第153篇】晉武帝選錯兒媳婦。

晉武帝司馬炎對他的太子——司馬衷頭疼極了，司馬衷呆呆傻傻，又騃又癡，實在不適合做爲一國之君。因此在司馬衷十三歲的時候，武帝便積極爲他物色媳婦，希望挑一位能幹賢慧的內助，幫助司馬衷治理天下（司馬衷是日後的惠帝）。

太子娶妻的消息傳出後，朝廷裡上上下下議論紛紛，許多家裡有女兒的都躍躍欲試，希望能高攀這門親事，其中最有興趣又最熱中的，要數賈充了。這是有原因的……。

賈充是晉朝朝廷裡一個陰險狡猾的官兒，平素與王愷等不合，因而王愷等向晉武帝推薦賈充到西北出任秦、涼二州的都督。由於從漢朝以來，投降中國的胡人，散居在邊境四周，他們一方面爲中國所同化，另一方面仍保有強悍的本性。賈充很怕這些胡人，萬分不想去就任。

臨上任前，賈充的親朋好友爲他在夕陽亭舉行餞別宴。賈充在宴席上唉聲嘆氣不已，扯著中書監荀勖的衣袖道：『我實在不想去，可是又不得不去，唉，眞是痛苦萬分。』

『你身爲宰相，竟然被人玩弄於股掌之上，豈不可恥？』荀勖替賈充抱不平。

『難道你有什麼妙計可以讓我免掉這趟差事？』賈充一聽十分喜悅，站起來向荀勖深深一作揖。

荀勖說：『如今皇帝正在爲太子物色婚事，如果攀上這門親事，要走也走不成了！』

『對啊！』賈充一聽，茅塞頓開，積極展開提親的事。

在衆多的應選人中，晉武帝選中了兩個女孩子——賈充的女兒和衛瓘的女兒。那是因爲這兩個女孩的家世好，她們的父親都是武帝信任的大臣。

但是，晉武帝派人打聽的結果，賈充的女兒竟然有『五不可』：個性妒忌、命中少子、面貌醜陋、身材短小、皮膚粗黑，簡直糟糕透頂。

倒是另外一位大將軍衛瓘的女兒，頗能當得起『母儀天下』的美名（古人以爲皇后就是天下婦女的模範)，她有『五可』，適於嫁給太子：個性賢慧、有宜男之相（預料會生兒子）、容貌秀美、身材修長、皮膚細白，是爲『五可』。

以『五可』對抗『五不可』，理所當然應該是衛家女兒中選。不料賈充的太太郭氏相當厲害，運用金錢攻勢，買通了皇帝左右。於是個個都誇賈充的女兒秀麗端莊，才貌兼備，再適合做皇后不過了。

這下子倒把武帝攪糊塗了，不曉得到底該聽誰的話才好，於是他就把與賈家相熟的荀勖找來，一問究竟。

『賈家的女兒你是見過的，聽説她不但長相難看，而又性情剛烈，氣量狹小，有無此事？』

『哪有這話？』撮合賈女與太子聯姻本來是荀勖的主意，他當然不會在皇帝面前講眞話，少不得把賈氏大大讚美了一番，說她不但容貌好、氣質好，而且知書達禮，賢淑能幹。

晉武帝懷疑道：『那我派出的人怎麼都說她有「五不可」？』

『這還不是有人和賈充作對，故意和他爲難嗎？名門閨秀，怎麼可能像他們所糟蹋的這般不堪？』荀勖又加重語氣道：『沒想到謠言如此可怕！』

既然荀勖說『五不可』是謠言，於是武帝便選中了賈家的女孩，接著武帝就興沖沖的開始辦喜事。太子娶親可比不得尋常百姓家，籌備就足足籌備了半年。賈氏選爲太子妻，賈充這個老丈人當然不能遠離京師。不多久，朝廷下命令，命賈充暫留宮中，暫緩上任。這件事就不了了之。賈充果然逃過了赴西北這件差事。

第二年，泰始八年二月，紅燭高懸，敲鑼打鼓，熱熱鬧鬧把賈氏迎入宮中，等到拜過了天地，太子掀開蓋頭一看，嚇，不得了，非但就像別人說的矮小短醜，而且皮膚黑得像給炭烤過一般。最可怕的還是賈氏眼中那冷酷的眼神，彷彿要把人吃下去一樣。是個不折不扣的母夜叉。

司馬衷本來就愚笨膽小，一看到賈氏的廬山眞面目，嚇得拔腿就跑，大叫：『救命！』賈氏一聲：『回來！』司馬衷兩腿發麻，癱了下來，一回頭看到賈氏的尊容，她生氣起來臉孔愈發醜陋，而且扭曲成一團，再加上賈氏本來就比司馬衷大上兩歲，司馬衷愈發不敢動彈，嚇得像被捉住的蟬一般發抖。

從此，賈氏就牢牢控制了司馬衷的一切。司馬衷繼為惠帝後，賈氏成爲皇后，日益潑辣，不僅兇悍，更在外亂交男朋友，更因爲她的胡作非爲，種下了八王之亂的禍根，造成了西晉的滅亡。

閱讀心得

【第154篇】

楊皇后與小楊皇后。

晉武帝的皇后楊氏，聰慧善書，姿質美麗，而且長於針線女紅，很得武帝的疼愛。她所生的太子司馬衷卻愚痴呆笨，武帝屢次想廢太子，都被楊皇后所阻止。後來，爲了替太子找位賢內助，武帝提前爲他完婚，又因爲楊皇后等人的慫恿，娶了貌醜心惡的賈氏，眞是一錯再錯。

楊皇后的身體很差，時常生病，在泰始十年的初秋，冷風一吹，她又病倒在明光殿中，延請了各方名醫診治，始終不見起色，楊皇后自宮女口中得知，武帝新寵一位美人胡夫人，她很擔心自己死以後，武帝立胡夫人爲皇后，這樣一來，太子衷的地位就不保了。

因此，當武帝到榻前慰問病情時，楊皇后虛弱的枕在武帝膝前，吃力的抬起頭道：『妾死不足以悲，只是有件事，希望陛下能答應妾的請求。』

武帝當時心亂如麻，眼看著一個嬌豔的美人兒，病得兩眼深凹，不要說是一件請求，就是十件、百件也都會答應，含著淚不斷點頭。

楊皇后說：『我叔叔楊駿的女兒，也就是我的堂妹，德容兼備，希望我死後，陛下立她爲后，這樣妾死也瞑目了。』說完，嗚咽不止，武帝也不禁放聲大哭，緊緊的握著楊皇后的手，表示絕不負約。楊皇后兩眼一閉，死在武帝的膝上，死時才三十七歲。

楊皇后去世後，武帝果然把楊駿的女兒立爲皇后。人稱小楊皇后，小楊皇后非常漂亮，又德行婉順，武帝就把對楊皇后的思念全投入對小楊皇后的愛寵中。

此時，太子妃賈氏漸漸露出了陰險的面目，由於她不能生育，非常嫉恨其他嬪妃懷孕，有一次賈氏發現太子宮中的一個宮女大腹便便，她一火，拿著斧戟就扔過去，那位懷了孕的宮女隨刃倒地，肚子裡的小孩當然也死了。如此這般，竟然一連殺了幾個懷有身孕的宮女。

武帝聽了消息大爲震怒，立刻下令修築金墉城冷宮，準備把賈氏打入冷宮。小楊皇后在一旁說情：『賈氏的父親對國家有貢獻，請看賈充的面子原諒她吧，何況賈氏年輕，難免嫉妒心理重，長大一點，自然會懂事。』

武帝一向優柔寡斷，又寵愛小楊皇后，此時也不再堅持。

當然，小楊皇后少不得把賈氏訓了一頓，賈氏非但不領小楊皇后爲她開罪的恩情，反而把黑嘴唇翹得高高的，氣憤不已。還以爲是小楊皇后在武帝面前打的小報告哩。

小楊皇后雖然很有美德，她的父親——楊駿可不一樣了。自從女兒封后了以後，楊駿做到了車騎將軍，封臨晉侯。朝中一些有先見的大臣紛紛以爲不可，但是武帝依舊讓楊駿享高位，任憑楊駿作威作福。

不久，武帝染上重病，當年的佐命功臣都已去世。楊駿斥退群臣，一手遮天，朝中一切政令都出自楊駿的手，他又擅自更換公卿大臣，一個一個都換爲自己的心腹，有人有意見，楊駿立刻怒喝一聲：『這是皇帝交辦的！』誰也沒可奈何。

武帝成天都昏昏沉沉不省人事。一天，忽然迴光反照睜開了眼睛，一看全換上了猥猥瑣瑣不像樣的臣子，氣得大罵楊駿：『你怎麼可以如此胡來？』立刻下詔命汝南王司馬亮入宮來輔王室。

楊駿一面叩頭謝恩：『是，是，是。』一面退出門外。他很擔心汝南王司馬亮來了以後，他就沒法控制一切，因此楊駿便對中書監華廙說：『剛才皇帝下的詔書，請拿來借我看一看。』

誰知華廙把詔書拿給他以後，楊駿竟帶回家，把詔書偷偷藏起來。華廙著急得要命，第二天一大早親自上門來索，楊駿居然說：『什麼詔書？我沒有看到啊！』

明明知道楊駿狡賴，華廙一點辦法也沒有，既不能用強力奪回，也不能到處嚷嚷楊駿搶了詔書，何況自己身爲中書監，怎可如此不小心，華廙簡直快急瘋了。

正在此時，武帝不行了，勉強睜開眼皮道：『汝南王來了嗎？』當然沒有。於是，小楊皇后請奏以楊駿爲輔政，武帝也只好點頭答應。不久長嘆一聲而死，享年五十五歲。

國不可一日無君，傻呆的太子衷即位爲皇帝——是爲惠帝。陰險的賈氏正式成爲賈皇后，三十三歲的小楊皇后升爲皇太后。

閱讀心得

閱讀心得

閱讀心得

歷代‧西元對照表

朝　　代	起迄時間
五帝	西元前2698年～西元前2184年
夏	西元前2183年～西元前1752年
商	西元前1751年～西元前1123年
西周	西元前1122年～西元前 771年
春秋戰國(東周)	西元前 770年～西元前 222年
秦	西元前 221年～西元前 207年
西漢	西元前 206年～西元 8年
新	西元 9年～西元 24年
東漢	西元 25年～西元 219年
魏(三國)	西元 220年～西元 264元
晉	西元 265年～西元 419年
南北朝	西元 420年～西元 588年
隋	西元 589年～西元 617年
唐	西元 618年～西元 906年
五代	西元 907年～西元 959年
北宋	西元 960年～西元 1126年
南宋	西元 1127年～西元 1276年
元	西元 1277年～西元 1367年
明	西元 1368年～西元 1643年
淸	西元 1644年～西元 1911年
中華民國	西元 1912年

國家圖書館出版品預行編目資料

全新吳姐姐講歷史故事. 6. 三國一西晉/吳涵碧 著.
--初版.--臺北市；皇冠，1995〔民84〕
面；公分（皇冠叢書；第2472種）
ISBN 978-957-33-1216-1 （平裝）
1. 中國歷史

610.9　　84006876

皇冠叢書第2472種
第六集【三國一西晉】
全新吳姐姐講歷史故事〔注音本〕

作　者—吳涵碧
繪　圖—劉建志
發 行 人—平雲
出版發行—皇冠文化出版有限公司
台北市敦化北路120巷50號
電話◎02-27168888
郵撥帳號◎15261516號
皇冠出版社(香港)有限公司
香港銅鑼灣道180號百樂商業中心
19字樓1903室
電話◎2529-1778　傳真◎2527-0904
印　務—林佳燕
校　對—皇冠校對組
著作完成日期—1992年01月01日
香港發行日期—1995年09月25日
初版一刷日期—1995年10月01日
初版二十九刷日期—2021年05月
法律顧問—王惠光律師

讀者服務傳真專線◎02-27150507
電腦編號◎350006
ISBN◎978-957-33-1216-1
Printed in Taiwan
本書定價◎新台幣150元/港幣45元